ÉCOLE GAÉTAN-BOUCHER
4850 boul. Westley
Saint-Hubert, Qc
J3Y 2T4
Tél.: 656-5521

Le plan d'intervention personnalisé
en milieu scolaire

Georgette Goupil

Le plan d'intervention personnalisé
en milieu scolaire

gaëtan morin
éditeur

gaëtan morin éditeur
C.P. 180, BOUCHERVILLE, QUÉBEC, CANADA
J4B 5E6   TÉL. : (514) 449-2369   TÉLÉC. : (514) 449-1096

ISBN 2-89105-404-0

Dépôt légal 3ᵉ trimestre 1991
Bibliothèque nationale du Québec
Bibliothèque nationale du Canada

**Le plan d'intervention personnalisé
en milieu scolaire**
© gaëtan morin éditeur ltée, 1991
Tous droits réservés

1 2 3 4 5 6 7 8 9 0   G M E 9 1   0 9 8 7 6 5 4 3 2 1

La publication de cet ouvrage été rendue possible grâce à une subvention du Comité des publications de l'Université du Québec à Montréal.

Remerciements

L'auteure tient à remercier André Bourassa, conseiller pédagogique à la CECM, et Monique Boucher, agente de développement pédagogique au ministère de l'Éducation du Québec, pour leur révision du manuscrit et leurs judicieux conseils.

La publication de cet ouvrage a été appuyée financièrement par le Comité des publications de l'Université du Québec à Montréal. Nous remercions l'UQAM de sa contribution.

Avertissement

Dans cet ouvrage, le masculin est utilisé comme représentant des deux sexes, sans discrimination à l'égard des hommes et des femmes et dans le seul but d'alléger le texte.

Préface

C'est au milieu des années 1970 qu'ont débuté les premiers échanges professionnels entre Georgette Goupil et moi-même ; elle, nouvellement formée de l'école de psychologie, et moi, coordonnateur des services aux élèves en difficulté à la Commission scolaire Sault-Saint-Louis. Dès le départ, nos intérêts communs se sont manifestés. Il faut dire qu'à l'époque, au Québec, le courant favorable à l'intégration en était à ses débuts, et nombreux étaient les partisans de l'organisation catégorielle des services aux élèves handicapés et en difficulté d'adaptation et d'apprentissage. Nos premières entreprises visaient donc à expérimenter des modèles de services intégrés où l'élève occupait le centre de toute la démarche. Déjà, Mme Goupil démontrait une rigueur d'analyse pour les faits scientifiques, les résultats mesurables.

Au cours des années qui suivirent, nous fûmes appelés à collaborer à plusieurs projets, particulièrement dans les domaines de la formation des enseignants et de l'intégration des élèves. Depuis ce temps, nos travaux convergent vers les mêmes objectifs : offrir aux jeunes du Québec des services éducatifs de grande qualité, leur assurer une formation qui leur permette d'être compétitifs sur les marchés professionnels et d'être des adultes responsables dans leur vie personnelle et sociale. La qualité des services et le droit à la différence des élèves en difficulté ont toujours retenu l'intérêt de Mme Goupil. Depuis de nombreuses années, son action est centrée sur l'évolution du système scolaire québécois dans cette orientation.

C'est donc pour moi une vive satisfaction que de présenter ce livre qui répond à un pressant besoin pour les agents d'éducation et qui représente à n'en pas douter une contribution significative au champ de l'éducation spécialisée.

Cet ouvrage est destiné tout particulièrement aux étudiants, aux enseignants, aux parents, aux gestionnaires et à tous les intervenants qui se préoccupent d'offrir aux jeunes en difficulté des services éducatifs de qualité. Il constitue un *vade-mecum* pour ceux et celles qui ont cette responsabilité d'élaborer des plans d'intervention et de veiller à leur mise en œuvre.

Dans la foulée de l'expérience scolaire américaine, le Québec souscrit à l'importance de personnaliser l'analyse des besoins du jeune et des services à lui offrir pour favoriser son développement global. Chez nous, comme ailleurs, les législations récentes sont venues créer cette obligation d'élaborer des plans d'intervention afin de répondre adéquatement aux besoins des élèves qui éprouvent des difficultés à s'adapter aux exigences de l'école.

L'auteure prend résolument parti en faveur de cette orientation et nous propose une vision pratique de la nature du plan d'intervention, de ses composantes de même que des mesures à retenir pour favoriser son implantation dans les milieux scolaires. L'œuvre permet à chacun de trouver les données utiles pour son travail. La façon d'aborder le sujet est rigoureuse.

La forme didactique utilisée est efficace et permet, dans chacun des chapitres, de dégager les connaissances et les habiletés que l'ouvrage propose d'acquérir.

Dès le début, l'importance de définir la notion du plan d'intervention personnalisé et d'en expliquer l'historique est cernée. On insiste particulièrement sur l'influence américaine dans cette évolution. On souligne la nécessité de l'engagement des partenaires sociaux de l'école pour en réussir l'implantation. La chronologie des grandes étapes qui ont conduit à cette orientation scolaire nouvelle est présentée ainsi que les événements importants qui y sont rattachés. Avec une clarté remarquable, les fonctions essentielles du plan d'intervention personnalisé sont établies. Tous les éléments de base s'y retrouvent. Le lecteur peut constater qu'aucun effort n'a été ménagé pour lui permettre de bien situer l'avènement de ce courant en éducation.

Par la suite, l'accent est mis sur le processus d'élaboration du plan. D'entrée de jeu, il apparaît clair que cette démarche d'élaboration n'est qu'une étape malgré son caractère essentiel. Cette orientation est majeure dans l'œuvre. Les critiques et la recherche ont, en effet, mis en lumière le caractère souvent trop administratif de la démarche, et ce au détriment de l'intervention auprès du jeune. Dans le texte, l'auteure propose de façon intelligente les éléments de prudence à considérer à cet égard. Elle insiste sur l'importance de se rappeler d'abord la dimension éducative du plan d'intervention ; puis, une approche méthodologique claire est proposée pour procéder à son élaboration.

La suite est consacrée à l'outillage nécessaire à la réussite de l'entreprise et à des applications pertinentes. Souvent, les carences reliées à la qualité de l'instrumentation dont disposent les intervenants entraînent le refus d'adhérer aux nouvelles approches en éducation. L'auteure a compris l'importance d'offrir des outils concrets et bien adaptés aux particularités des milieux scolaires. En s'appuyant sur des propositions qui ont fait leurs preuves, elle suggère habilement des voies permettant de mener avec succès le plan d'intervention personnalisé. Le lecteur est guidé dans le choix de modèles pouvant s'adapter à chaque milieu.

La recherche des dernières années sur le sujet a fait ressortir les difficultés reliées aux conditions d'implantation et de réalisation des plans d'intervention personnalisés. Le présent ouvrage permet au lecteur de faire le point sur les erreurs commises ailleurs et les écueils à éviter lors de la mise en place des plans dans les milieux scolaires. Adroitement, l'intervenant est amené à la réflexion avant d'entreprendre des actions concrètes.

Autant par son analyse des problématiques que par la présentation de solutions sous-jacentes, ce livre répond à un besoin actuel des milieux scolaires. Il fournit les éléments de connaissance permettant à l'utilisateur de collaborer avec compétence à la mise en place des plans d'intervention personnalisés dans son école. La qualité de cet outil ne laisse aucun doute ; il saura, j'en suis certain, apporter les réponses attendues aux praticiens de l'éducation.

Je souhaite qu'il procure à la fois aide et motivation dans l'acquisition de compétences au chapitre des services aux élèves éprouvant des difficultés d'adaptation scolaire.

Gilles-E. Bouchard, directeur général
Commission scolaire du Gouffre

Table des matières

XII   *Table des matières*

CHAPITRE 3
Les composantes et la structure du plan d'intervention personnalisé 43

CHAPITRE 4
Les conditions de mise en place et de réalisation des plans d'intervention personnalisés 77

Introduction

Le plan d'intervention personnalisé est un outil conçu pour mieux répondre aux besoins d'un enfant en difficulté. Il définit les objectifs d'apprentissage et d'insertion sociale, détermine les critères des évaluations, précise les intervenants et décrit les moyens de même que les ressources nécessaires pour aider l'élève en difficulté d'adaptation ou d'apprentissage.

Ce livre est consacré à la façon d'élaborer un plan d'intervention personnalisé et aux démarches qui l'accompagnent dans le milieu scolaire. Les exemples utilisés concernent surtout les élèves en difficulté d'apprentissage ou aux prises avec des problèmes de comportement.

Le volume est divisé en quatre chapitres. Dans le premier, on définit le plan d'intervention, on présente son historique et on décrit ses fonctions dans la scolarisation d'un élève en difficulté. Nous verrons alors que rédiger un plan d'intervention, c'est plus que de remplir un simple questionnaire. Il s'agit d'une étape dans une démarche d'intervention. Le deuxième chapitre est axé sur l'insertion du plan d'intervention dans la démarche d'aide à l'élève. Le troisième chapitre est centré sur les éléments mêmes qui constituent le plan d'intervention. Il débute avec la présentation d'un formulaire, puis chacun des éléments inclus est présenté et expliqué à l'aide d'exemples. Ce chapitre est essentiellement didactique et a pour fonction d'apprendre au lecteur comment rédiger un plan d'intervention. À cette fin, plusieurs exercices permettent d'appliquer les notions présentées. Le dernier chapitre concerne les conditions d'implantation et de réalisation des plans d'intervention personnalisés : la qualité de l'évaluation des besoins de l'enfant, la structure et l'animation des réunions où on élabore le plan, la participation de l'enfant et de ses parents. Enfin, deux annexes présentent des outils pour faciliter l'élaboration ou la rédaction des plans d'intervention.

CHAPITRE 1

Définitions, historique et fonctions du plan d'intervention personnalisé

CONTENU DU CHAPITRE

OBJECTIFS

À la fin de ce premier chapitre, vous devriez être en mesure :

❑ d'expliquer ce qu'est un plan d'intervention personnalisé ;

❑ de décrire les principaux événements qui ont donné lieu à des plans d'intervention personnalisés au Québec ;

❑ de distinguer la notion de plan d'intervention personnalisé de celle de plan de services ;

❑ de décrire l'utilité et les fonctions d'un plan d'intervention personnalisé.

1.1 Introduction

Le plan d'intervention est aujourd'hui reconnu obligatoire dans la planification des interventions auprès des élèves en difficulté. La *Loi sur l'instruction publique* confirme l'importance de ce plan dans l'éducation du jeune en difficulté. Toutefois, cette reconnaissance fait suite à un long cheminement de la part des milieux scolaires, des organismes sociaux, des personnes handicapées elles-mêmes et de leurs parents. Ce premier chapitre est consacré à la définition du plan d'intervention, à son historique et à la description de ses fonctions dans la scolarisation d'un élève en difficulté.

1.2 Définition du plan d'intervention personnalisé

Le plan d'intervention personnalisé est un outil de planification et de concertation pour mieux répondre aux besoins d'un élève en difficulté. Il sert à favoriser la mise en place des services et des interventions (Hartwick et Blattenberger, 1986) et à faciliter l'insertion sociale de l'élève. Ce plan contient les objectifs minimaux à court ou à moyen terme, les moyens et les ressources nécessaires, les échéances (calendrier prévu pour la réalisation et l'évaluation) et les personnes responsables des interventions. Pour leur part, Côté, Pilon, Dufour et Tremblay (1989) estiment que le plan d'intervention doit inclure les éléments suivants : les objectifs d'apprentissage, les stratégies d'intervention et d'apprentissage pour chacun de ces objectifs, le mécanisme d'évaluation des apprentissages et des interventions et, finalement, un mécanisme continu de révision du plan d'intervention et de prise de décision concernant les suites du plan. Le plan d'intervention personnalisé est « un véritable plan d'action où l'on va retrouver des buts et objectifs précis, des moyens pour les atteindre et le mode d'évaluation qui permettra de bien jauger les progrès du jeune » (Bouchard, 1985, p. 23).

Un plan d'intervention utile et fonctionnel est plus qu'un formulaire ou une obligation administrative. Son élaboration doit s'inscrire dans une démarche globale d'aide avec le jeune, ses parents et les intervenants concernés. Landry (1990) précise ainsi ce processus :

> *Bien sûr, le plan d'intervention se traduira en bout de ligne par le texte d'un formulaire bien rempli dont on se servira pour appuyer des décisions, orienter des interventions, etc. Mais le plan d'intervention est d'abord et avant tout une démarche pour connaître l'élève et aviser des mesures éducatives qui lui sont appropriées. Cette démarche nécessite la participation des intervenants scolaires et des parents* (p. 9).

Cette démarche s'effectue en plusieurs étapes. Il y a d'abord l'évaluation des forces, des besoins et des difficultés de l'élève. Puis, le plan d'intervention est rédigé lors d'une réunion où les parents, l'élève (s'il en est capable) et les divers intervenants seront présents. Tout au long de ce processus, plusieurs (Côté, Pilon, Dufour et Tremblay, 1989 ; Kurtzig, 1986) soulignent l'importance de tenir compte des forces, des acquis et du potentiel d'apprentissage de la personne. C'est à partir de ces éléments acquis qu'il est possible de définir des objectifs qui aideront l'enfant à se développer et à s'épanouir. L'élève est considéré dans sa totalité et non pas simplement comme une personne ayant des faiblesses et des difficultés.

1.3 Historique

Le plan d'intervention s'inscrit dans une démarche d'aide aux élèves en difficulté d'adaptation et d'apprentissage. Depuis de nombreuses années, le système scolaire se préoccupe de répondre le plus conformément possible aux besoins de ces jeunes. D'où la mise sur pied du plan d'intervention personnalisé. Tour à tour, nous examinerons quelques événements qui ont amené le système scolaire à utiliser cet instrument.

1.3.1   Répondre aux besoins des élèves en difficulté

Dès les années 1960, le rapport Parent souligne la nécessité de répondre aux besoins des enfants en indiquant « qu'un système scolaire vraiment démocratique leur offrira des possibilités de réadaptation et un enseignement approprié à leur condition » (Commission royale d'enquête sur l'enseignement dans la province de Québec, 1965, p. 331). Dans le but d'assurer la meilleure éducation possible à tous ces enfants appelés alors « exceptionnels », le système scolaire crée un réseau relativement complexe de classes et d'écoles spéciales.

Tant au Québec qu'aux États-Unis, ces mesures spéciales de scolarisation furent très populaires dans les années 1960 et au début des années 1970. Presque systématiquement, les élèves en difficulté grave étaient dépistés et y étaient orientés. Malheureusement, ces mesures spéciales, qui étaient censées mieux répondre aux besoins des enfants, ne semblaient pas toujours donner les résultats prévus (voir Madden et Slavin, 1983, ou Wang et Baker, 1985, pour des recensions des écrits sur ce sujet).

Les élèves avaient accès, de plus en plus nombreux chaque année, à des classes spéciales, mais bien peu d'entre eux en sortaient pour réintégrer les classes ordinaires (COPEX, 1976). Les milieux scolaires amorcent alors une réflexion importante sur le bien-fondé des mesures spécialisées lorsqu'on veut répondre aux besoins individuels de tous les enfants en difficulté : ces mesures favorisent-elles de meilleurs apprentissages scolaires, facilitent-elles l'adaptation sociale de l'enfant ? Il semblerait qu'un ratio maître/élèves diminué n'ait pas nécessairement entraîné l'individualisation de l'enseignement (Polloway, 1984). Dès le début des années 1970, les milieux scolaires se penchent sur des moyens pour mieux suivre les progrès des enfants en difficulté.

1.3.2   La situation américaine

Aux États-Unis, l'augmentation du nombre d'enfants en difficulté crée une situation particulièrement critique. Des parents intentent des procès aux milieux scolaires parce qu'ils croient que leurs enfants placés dans des classes spéciales n'ont plus les mêmes chances d'avenir. Les principes de la normalisation (Wolfensberger, 1972) sont mis en évidence : tout enfant a le droit d'être scolarisé dans le cadre le plus normal possible. Ce principe n'exclut pas le recours à une mesure spéciale, mais il faut prouver que le milieu ordinaire ne peut répondre aux besoins de l'enfant et que la classe spéciale est plus appropriée pour ce faire. Désormais, on devra aussi valoriser les capacités d'adaptation et de développement des enfants, et non pas uniquement souligner leurs difficultés. Le congrès américain recommande d'offrir des services éducatifs qui répondent aux besoins uniques de ces enfants en difficulté.

En 1975, les États-Unis adoptent une loi, la PL 94-142 : *The Education for All Handicapped Children*. Cette loi reconnaît certains droits fondamentaux des enfants handicapés et de leurs parents : le droit à l'éducation, le droit à une éducation gratuite, le droit à une éducation appropriée, c'est-à-dire, entre autres, le droit à un plan d'intervention individualisé, le droit d'être scolarisé dans un environnement le moins restrictif possible, le droit au *due process*[1], le droit à la confidentialité des informations et, finalement, le droit à une évaluation non discriminatoire (Gallaudet College, 1986). Le plan d'intervention personnalisé devient un outil destiné à mieux répondre aux besoins individuels parce qu'il précise le niveau de rendement de l'enfant et les objectifs éducatifs poursuivis avec lui. La loi américaine le définit ainsi :

> Le « *programme éducatif individualisé* » est un document rédigé spécialement pour répondre aux besoins précis de chaque enfant en difficulté, lors d'une réunion de concertation. Participent à cette réunion un spécialiste du milieu scolaire habilité à dispenser et à superviser le plan éducatif personnalisé, l'enseignant, les parents ou le tuteur de l'enfant et, s'il y a lieu, l'enfant lui-même. Ce document doit préciser : a) le rendement actuel de l'enfant ; b) les buts annuels et les objectifs à court terme ; c) les services éducatifs spéciaux qui seront fournis à l'enfant et sa capacité de participation aux programmes ordinaires ; d) la date et la durée prévues pour ces services ; e) les critères objectifs de réussite ainsi que les dates et les modalités de l'évaluation, qui doit être au moins annuelle (Gouvernement américain, p. 491-492[2]).

---

1. *Due process* : droit à un traitement juste et impartial. Si les écoles et les parents ne s'entendent pas sur les mesures à offrir à un enfant, des méthodes formelles existent pour en arriver à une entente (New York State Education Department, 1986).

2. Traduction libre du texte suivant :
    The term "individualized education program" means a written statement for each handicapped child developed in any meeting by a representative of the local educational agency or an intermediate educational unit who shall be qualified to provide, or supervise the provision of, specially designed instruction to meet the unique needs of handicapped children, the teacher, the parents or guardian of such child, and, whenever appropriate,

———————▶

Désormais, les milieux scolaires devront cerner les besoins des enfants en difficulté et déterminer pour chacun d'eux un programme éducatif destiné à répondre à ses besoins. Selon la loi américaine, ce programme éducatif devra être révisé régulièrement :

> *L'agence éducative locale ou l'unité éducative intermédiaire établira ou révisera, selon le cas, le programme éducatif individualisé pour chaque enfant en difficulté au début de chaque année scolaire et reverra, s'il y a lieu, ses spécifications périodiquement, au moins une fois par année* (Gouvernement américain, p. 514[3]).

1.3.3 La situation québécoise

Le rapport COPEX : un document déclencheur

Au Québec, le même mouvement se produit, mais quelques années plus tard. Un comité provincial, le Comité provincial pour l'enfance inadaptée, a pour mandat d'examiner la situation des élèves « exceptionnels ». Ce comité produit le rapport COPEX (1976) dans lequel il dénonce les augmentations statistiques des enfants en difficulté et le modèle médical qui influence leur classification. Quelques années après la parution de ce rapport, le ministère de l'Éducation (1979, 1982) émet diverses recommandations qui viennent entériner une orientation en faveur de la scolarisation des enfants en difficulté dans le cadre le plus normal possible. Cependant, qu'il s'agisse d'une scolarisation en milieu ordinaire ou spécialisé, l'évaluation des besoins des enfants devient prioritaire pour assurer une éducation de qualité.

---

such child, which statement shall include (A) a statement of the present levels of educational performance of such child, (B) a statement of annual goals, including short-term instructional objectives, (C) a statement of the specific educational services to be provided to such child, and the extent to which such child will be able to participate in regular educational programs, (D) the projected date for initiation and anticipated duration of such services, and (E) appropriate objective criteria and evaluation procedures and schedules for determining, on at least an annual basis, whether instructional objectives are being achieved.

3. Traduction libre du texte suivant :
    [...] provide assurances that the local educational agency or intermediate educational unit will establish, or revise, whichever is appropriate, an individualized education program for each handicapped child at the beginning of each school year and will then review and, if appropriate revise, its provisions periodically, but not less than annually.

La reconnaissance des droits des personnes handicapées

1. Respect des droits des personnes handicapées

Les mesures à l'intention des enfants en difficulté sont aussi influencées par la reconnaissance des droits des personnes handicapées. En effet, parmi les enfants en difficulté on trouve des enfants ayant des déficiences physiques, sensorielles ou intellectuelles. Les parents de ces enfants sont souvent en contact avec les organismes assurant les services aux personnes handicapées. Ces relations ont eu une influence sur le développement des politiques en milieu scolaire et doivent également être considérées dans la conception des plans d'intervention personnalisés.

Le 23 juin 1978 est promulguée la loi assurant l'exercice des droits des personnes handicapées. L'Office des personnes handicapées du Québec (OPHQ) a pour mandat de coordonner les services d'information de consultation et de promotion des intérêts des personnes handicapées, et de favoriser leur intégration scolaire, professionnelle et sociale. En 1984, cet organisme propose, dans le document *À part... égale*, diverses recommandations pour remplir ce mandat. Les services pour chaque personne handicapée devraient être coordonnés et adaptés à ses besoins.

2. Les plans de services et les plans d'intervention : deux outils de coordination

Les plans de services et les plans d'intervention deviennent des outils privilégiés. Le plan de services est utilisé pour planifier et coordonner des services. Il peut être décomposé en plusieurs plans d'intervention qui, eux, seront axés sur un domaine particulier : domaine éducatif, réadaptation, etc. Le document *À part... égale* précise ainsi ces notions :

> *Un plan de services est un outil de planification et de coordination des services individuels nécessaires à la réalisation et au maintien de l'intégration sociale d'une personne handicapée.*

> *La réalisation et le maintien de l'intégration sociale d'une personne handicapée peuvent nécessiter la coordination et la complémentarité d'interventions et de services provenant de diverses ressources et établissements. La perspective d'ensemble du plan de services donne une cohérence aux interventions, évite les dédoublements d'évaluation, assure les références et les suivis, et vise à donner les réponses les plus personnalisées aux besoins de chacun de manière continue.*

Le plan de services peut se décomposer en plans d'intervention dans chacun des domaines où la personne peut avoir besoin de services liés à sa déficience, à ses limites fonctionnelles et aux handicaps auxquels elle fait face (Office des personnes handicapées du Québec, 1984, p. 40).

Plusieurs enfants reçoivent des services d'organismes, certains relevant du milieu scolaire, d'autres des services de santé et des services sociaux. Ainsi, un enfant aveugle aura besoin non seulement d'apprendre à lire et à écrire, mais il devra également apprendre à se déplacer et à s'orienter dans l'espace, à devenir autonome dans sa vie quotidienne. Certains enfants ont plusieurs plans d'intervention qui peuvent être coordonnés dans un plan de services.

Outre le plan de services, le document *À part... égale* reconnaît l'importance des plans d'intervention pour les enfants handicapés. Le document formule plusieurs recommandations à cet effet aux commissions scolaires :

Que chaque commission scolaire, en collaboration avec le ou les établissements du réseau des affaires sociales de son territoire :

– *adopte un plan d'organisation de services éducatifs qui favorise l'intégration des élèves handicapés ;*

– *élabore et applique des plans d'intervention en services éducatifs pour chaque enfant qui en a besoin, si nécessaire, jusqu'à l'âge de 21 ans ;*

– *s'assure de l'affectation des ressources financières stables pour rendre opérants ses projets éducatifs ;*

– *s'assure de la présence d'un personnel diversifié, qualifié et compétent pour la réalisation de ses plans d'intervention ;*

– *établisse des ententes de services avec les établissements du réseau des affaires sociales pour obtenir les ressources complémentaires requises pour la réalisation des plans d'intervention en services éducatifs ;*

– *implique les parents d'enfants handicapés dans l'élaboration et la réalisation de ses projets éducatifs* (OPHQ, 1984, p. 136).

Dans ce même document, l'Office des personnes handicapées du Québec précise que le plan d'intervention en services éducatifs doit indiquer, en fonction des objectifs fixés pour la personne : le niveau d'intégration souhaitable pour la personne ; les adaptations nécessaires au rythme d'apprentissage et à la pédagogie ; les services complémentaires et personnels requis ; les équipements spécialisés nécessaires ; les ressources financières requises pour le logement et le transport, s'il y a lieu.

Les services sociaux

Par ailleurs, le ministère de la Santé et des Services sociaux a fait connaître depuis plusieurs années une position en faveur de l'implantation du plan d'intervention personnalisé. En 1983, le règlement sur l'organisation et l'administration des établissements de la *Loi sur les services de santé et les services sociaux* (1983) précise les mesures suivantes pour les bénéficiaires inscrits dans un centre de réadaptation :

> *Un plan d'intervention est établi pour chaque bénéficiaire admis ou inscrit. Le plan comprend l'identification des besoins du bénéficiaire, les objectifs à poursuivre, les moyens à utiliser, la durée prévisible des services ainsi qu'une mention de sa révision aux 90 jours (Gazette officielle du Québec, 1983, p. 3698).*

Nous constatons donc ici que l'utilisation des plans d'intervention n'est pas une pratique exclusive aux milieux scolaires. L'importance de cet outil est reconnue tant en Amérique qu'en Europe (Magerotte, 1984) par divers organismes qui constatent son utilité dans l'intervention et son suivi.

La **Loi sur l'instruction publique**, *un pas décisif dans le milieu scolaire*

Même si, avant 1988, plusieurs élèves bénéficiaient déjà de plans d'intervention dans les écoles, ce n'est cependant que durant cette année au Québec que la *Loi sur l'instruction publique*, sanctionnée le 23 décembre 1988, vient confirmer que les élèves en difficulté auront droit à un plan d'intervention personnalisé. L'article 47 présente cette obligation.

> *Article 47. Le directeur de l'école, avec l'aide des parents d'un élève handicapé ou en difficulté d'adaptation et d'apprentissage, du personnel qui dispense des services à cet élève et de l'élève lui-même, à moins qu'il en soit incapable, établit un plan d'intervention adapté aux besoins de l'élève. Ce plan doit respecter les normes prévues par règlement de la commission scolaire. Le directeur voit à la réalisation et à l'évaluation périodique du plan d'intervention (Loi sur l'instruction publique, 1990, p. 10 et 11).*

Cet article souligne le rôle important confié à la direction de l'école en ce qui a trait à la réalisation du plan d'intervention personnalisé. L'article met aussi en évidence le rôle des parents et celui de l'élève dans l'élaboration de ce plan. Toutefois, la *Loi sur l'instruction publique* apporte peu de précisions sur les modalités concrètes d'élaboration du plan, celui-ci devant, selon l'article 235, respecter les normes prévues par le règlement de la commission scolaire.

> *Article 235. La commission scolaire adopte, par règlement, après consultation du comité consultatif des services aux élèves handicapés et en difficulté d'adaptation ou d'apprentissage, les normes d'organisation des services éducatifs à ces élèves de manière à faciliter leurs apprentissages et leur insertion sociale.*
>
> *Ce règlement doit notamment prévoir :*
>
> 1. *les modalités d'évaluation des élèves handicapés et des élèves en difficulté d'adaptation ou d'apprentissage ;*
> 2. *les modalités d'intégration de ces élèves dans les classes ou les groupes ordinaires et aux autres activités de l'école ainsi que les services d'appui à cette intégration et, s'il y a lieu, la pondération à faire pour déterminer le nombre maximal d'élèves par classe ou par groupe ;*
> 3. *les modalités de regroupement de ces élèves dans des écoles, des classes ou des groupes spécialisés ;*
> 4. *les modalités d'élaboration et d'évaluation des plans d'intervention destinés à ces élèves (Loi sur l'instruction publique, 1990, p. 49 et 50).*

En outre, la *Loi sur l'instruction publique* prévoit (article 187) que la commission scolaire doit instituer un comité consultatif des services aux élèves handicapés et aux élèves en difficulté d'apprentissage. Ce comité est composé de représentants des parents des élèves en difficulté, de représentants des enseignants, des membres du personnel non enseignant et du personnel de soutien, de représentants des organismes qui dispensent des services aux élèves en difficulté et d'un directeur d'école. Ce comité consultatif a pour fonction, selon l'article 187, de donner divers avis à la commission scolaire. Ce mandat est ainsi précisé :

> *Article 187. Le comité consultatif des services aux élèves handicapés et aux élèves en difficulté d'adaptation et d'apprentissage a pour fonctions :*
>
> 1. *de donner son avis à la commission scolaire sur les normes d'organisation des services éducatifs aux élèves handicapés et aux élèves en difficulté d'adaptation et d'apprentissage ;*
> 2. *de donner son avis à la commission scolaire sur l'affectation des ressources financières pour les services à ces élèves.*
>
> *Le comité peut aussi donner son avis à la commission scolaire sur l'affectation des ressources financières pour les services à ces élèves.*

Le comité peut aussi donner son avis à la commission scolaire sur l'application du plan d'intervention à un élève handicapé ou en difficulté d'adaptation ou d'apprentissage (Loi sur l'instruction publique, 1990, p. 39).

Désormais, les plans d'intervention devront être utilisés dans les commissions scolaires. Toutefois, la *Loi sur l'instruction publique* est relativement récente et, au moment d'écrire ces lignes, il n'est pas possible de préciser l'influence qu'exercera le comité consultatif des services aux élèves en difficulté. Par exemple, comment sera-t-il utilisé par les parents dans les cas de litiges, lorsqu'il y a désaccord avec les intervenants lors de l'élaboration ou de l'application des mesures dans un plan d'intervention personnalisé ? Il sera sans doute intéressant au cours des prochaines années de noter comment les parents utiliseront ces nouvelles dispositions de la loi.

Ce bref historique permet de constater que de nombreux facteurs semblent avoir influencé la conception et la mise en application des plans d'intervention personnalisés. La figure 1.1 schématise ces sources d'influence.

Le plan d'intervention est devenu une réalité importante pour la scolarisation des enfants en difficulté. Dans les lignes suivantes, nous examinerons les fonctions éducatives d'un tel outil.

1.4   *Les fonctions du plan d'intervention personnalisé*

Le plan d'intervention personnalisé est un élément de base dans la planification de l'enseignement pour l'élève en difficulté. Le New York State Education Department (1986) précise ainsi son importance :

Le programme d'éducation individualisé est extrêmement important puisqu'il est la base de l'enseignement. Il est utilisé pour situer et analyser les progrès réalisés par l'élève, dans le but de satisfaire ses besoins. Le programme d'éducation individualisé contient un résumé des capacités actuelles de l'enfant ; il fixe des objectifs se rapportant à l'éducation de l'enfant pour l'année scolaire ; il explique comment ces buts seront atteints ; enfin il contient l'ensemble des méthodes qui seront utilisées périodiquement pour vérifier les progrès de l'enfant (New York State Education Department, p. 31-32).

Figure 1.1
Quelques facteurs de développement des plans d'intervention personnalisés

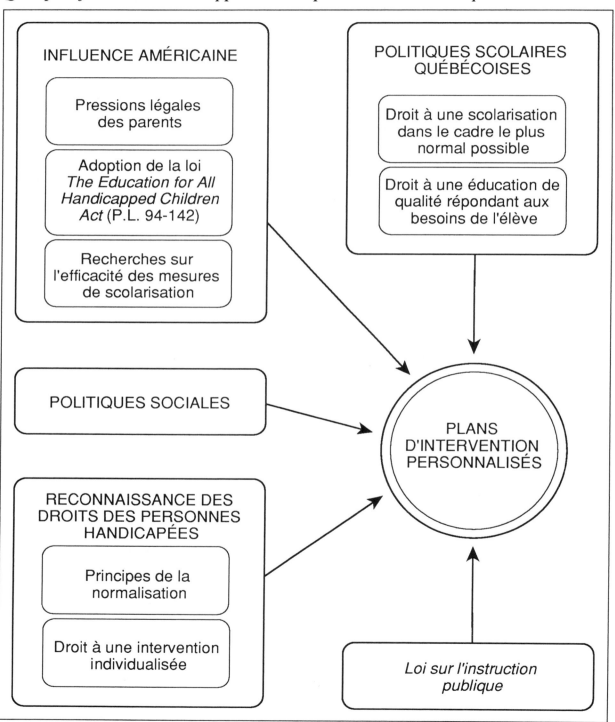

L'élaboration du plan d'intervention s'inscrit, nous l'avons vu, dans une démarche globale où il y a d'abord l'évaluation des forces et des difficultés de l'élève, puis l'échange entre les intervenants sur cette situation et, finalement, la rédaction du plan comme tel. Landry (1990) indique que non seulement ce processus permet d'élaborer une intervention adaptée aux besoins de l'enfant, mais encore qu'il fournit un support à l'intervention du personnel scolaire. Cette démarche facilite la concertation des intervenants et permet un classement éclairé, c'est-à-dire un classement fondé sur les besoins de l'enfant et non pas sur des contingences administratives. Toujours selon Landry, cette étape facilite la communication entre l'équipe-école et les parents, et permet à ceux-ci de prendre une place véritable dans le choix des services donnés à leur enfant. Les parents ne deviennent plus seulement ceux qu'on informe mais également ceux qu'on consulte et avec qui il est important d'obtenir un consensus. Somme toute, le plan d'intervention joue divers rôles : de planification, de communication, de participation, de concertation, de coordination et de rétroaction. Examinons chacune de ces fonctions.

1.4.1 La planification éducative

Le plan d'intervention, comme son nom l'indique, est un outil de planification. Il aide à fixer les objectifs qu'on veut atteindre avec un enfant, et à prévoir les interventions et les ressources nécessaires. Il permet aussi d'établir le calendrier de réalisation des objectifs et de mieux ordonner les priorités d'intervention. En effet, lorsqu'un enfant éprouve des difficultés graves, il est évident que celles-ci ne se régleront pas toutes du jour au lendemain. Il faut donc procéder par étapes. Le plan permet d'énumérer celles-ci et aide ainsi les personnes concernées à les comprendre.

Reprenant le modèle 6-S (*someone, something, somebody, somehow, somewhere, sometime*) de Henderson, Alter et Goldstein (1985) situent le plan d'intervention dans un processus éducatif global. Nous avons adapté ce modèle en langue française, et l'avons nommé « Les six questions » : *Qui* (l'élève), *Quoi* (les apprentissages), *Qui d'autre* (l'intervenant), *Quel endroit* (l'environnement éducatif), *Quand* (le calendrier et les échéances) et *Quelle façon* (les moyens et les ressources). La figure 1.2 présente la traduction et l'adaptation du modèle d'Alter et Goldstein.

Figure 1.2
Les 6 questions

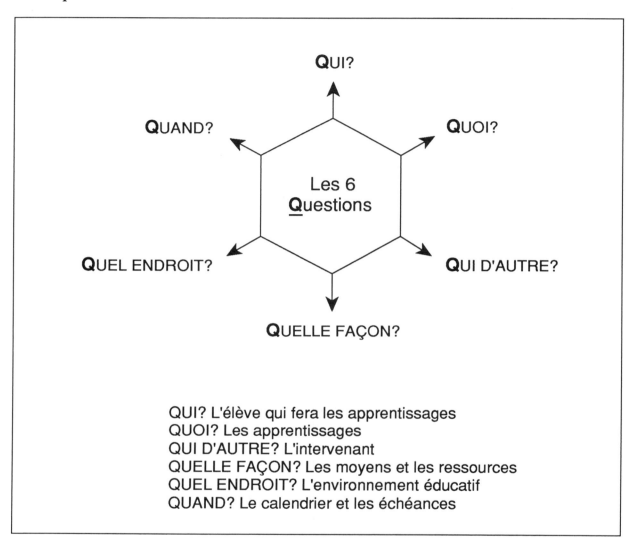

QUI? L'élève qui fera les apprentissages
QUOI? Les apprentissages
QUI D'AUTRE? L'intervenant
QUELLE FAÇON? Les moyens et les ressources
QUEL ENDROIT? L'environnement éducatif
QUAND? Le calendrier et les échéances

1.4.2   La communication

Le plan d'intervention est aussi un outil de communication. Au cours de la réunion portant sur le plan d'intervention, la communication se fait autour des besoins de l'enfant, de ses forces et des objectifs d'intervention. L'enfant devrait pouvoir exprimer ses perceptions de la situation et les éléments qu'il aimerait modifier.

Cette communication permet de verbaliser les attentes de chacun. S'il peut y avoir consensus dans plusieurs cas, dans d'autres cas il peut y avoir divergence dans les perceptions et dans les attentes, selon les participants à la réunion. Ainsi, les parents d'un enfant trisomique intégré en première année pourraient avoir des objectifs prioritaires de développement axés sur la socialisation, alors que l'enseignante pourrait être préoccupée davantage par des objectifs de lecture et d'écriture. La réunion sur le plan d'intervention devrait permettre de dégager ces attentes et de s'entendre sur les objectifs prioritaires ; à la fin de la réunion, les interventions qui seront faites devraient être connues de tous. Cette étape permet aux parents de participer et de mieux comprendre le programme éducatif planifié à l'intention de leur enfant.

1.4.3 *La participation, la concertation et la coordination*

Le plan d'intervention, c'est aussi un outil de participation, de concertation et de coordination. Il facilite la coordination des différentes interventions en s'assurant qu'elles n'entrent pas en conflit les unes avec les autres. Le plan permet de noter, par exemple, si, à une certaine période de l'année, trop ou pas assez d'interventions seront entreprises en même temps. Le plan favorise le partage des responsabilités puis des interventions en déterminant les rôles et les responsabilités de chacun. Qui fera quoi ? Ce partage de responsabilités est bénéfique pour les divers intervenants et pour l'élève qui y trouvent alors un soutien appréciable. De plus, les parents et les intervenants peuvent s'entendre sur des attitudes et des comportements communs qui faciliteront l'acquisition des apprentissages de l'enfant.

1.4.4 *La rétroaction*

Le plan facilite le suivi des progrès d'un élève. Il devrait faire l'objet de révisions régulières. En ce sens, il devient alors un outil de rétroaction. À partir du moment où des objectifs sont fixés et des échéances de travail prévues, le plan d'intervention sert en quelque sorte d'aide-mémoire et de balise aux intervenants, et facilite leur interrogation sur les apprentissages de l'enfant. Le fait que les moyens d'intervention y soient indiqués incite à une réflexion sur l'utilité ou la non-utilité de ces ressources.

Le plan d'intervention peut donc jouer divers rôles dans l'éducation du jeune en difficulté et permettre aux intervenants de mieux répondre à ses besoins particuliers.

RÉSUMÉ

Le plan d'intervention personnalisé est un outil de planification qui permet de mieux répondre aux besoins d'un jeune en difficulté. Il fixe les objectifs à atteindre, décrit les moyens, désigne les ressources nécessaires et les personnes responsables des interventions et détermine les échéances de travail. Il est élaboré à la suite de l'évaluation des besoins de l'enfant lors d'une réunion où les parents, l'enfant (s'il en est capable) et les intervenants seront présents. Cet outil facilite la planification des interventions, la concertation et la participation des intervenants. C'est également un outil de rétroaction. Au Québec, l'implantation des plans d'intervention dans les écoles a été inspirée par de nombreuses influences : le système scolaire américain, la reconnaissance des droits des personnes handicapées et les politiques sociales. Récemment, la *Loi sur l'instruction publique* venait consacrer l'utilisation obligatoire des plans d'intervention auprès des jeunes en difficulté.

MOTS CLÉS

- ✓ Plan d'intervention
- ✓ Principe de normalisation
- ✓ PL 94-142 : *The Education for All Handicapped Children*
- ✓ Éducation de qualité
- ✓ Apprentissage et insertion sociale
- ✓ Plan de services
- ✓ *Loi sur l'instruction publique*

QUESTIONS

1. Qu'est-ce qu'un plan d'intervention personnalisé ?

2. Selon la loi américaine, quelles sont les principales composantes d'un plan d'intervention personnalisé ?

3. Pourquoi le système scolaire a-t-il adopté la pratique des plans d'intervention personnalisés ?

4.   Que précise la *Loi sur l'instruction publique* concernant l'application des plans d'intervention personnalisés ?

5.   Quel est le but, selon l'article 235 de la *Loi sur l'instruction publique*, des services mis sur pied pour les élèves handicapés ou en difficulté d'adaptation ou d'apprentissage ?

6.   Au Québec, quels sont les facteurs qui ont influencé l'apparition des plans d'intervention personnalisés ?

7.   Quelles sont les fonctions du plan d'intervention personnalisé ?

8.   Quelle différence y a-t-il entre un plan de services et un plan d'intervention personnalisé ?

LECTURES SUGGÉRÉES

Office des personnes handicapées du Québec (1984). *À part... égale*. Québec : Les Publications du Québec.

Office des personnes handicapées du Québec (1989). *Le plan de services de la personne*. Québec : Office des personnes handicapées du Québec.

CHAPITRE 2

Processus d'élaboration du plan d'intervention

CONTENU DU CHAPITRE

OBJECTIFS

À la fin de ce chapitre, vous devriez être en mesure de décrire :

❒ la démarche globale dans laquelle doit s'insérer l'élaboration du plan d'intervention ;

❒ ce qu'est le processus de référence ;

❒ l'importance de l'évaluation des besoins, des forces et des faiblesses de l'élève pour l'élaboration du plan d'intervention personnalisé ;

❒ diverses sources d'information qui peuvent être utilisées dans l'évaluation de l'élève.

2.1 Introduction

La rédaction d'un plan d'intervention n'est qu'une étape dans une démarche d'aide pour un élève en difficulté. Cette étape consiste, après l'identification des forces et des faiblesses de l'enfant, à fixer les buts et les objectifs d'apprentissage de même qu'à inventorier les ressources et les moyens nécessaires aux progrès de l'élève. Cette planification requiert des actions préparatoires : observation de l'enfant, échanges avec les parents, analyse du rendement scolaire, etc. Dans ce deuxième chapitre, il sera question de ces démarches préalables à la rédaction comme telle du plan d'intervention. Nous verrons comment la rédaction d'un plan d'intervention personnalisé s'insère dans un processus global d'aide centré à la fois sur les apprentissages et l'insertion sociale de l'élève en difficulté.

Le point central dans la rédaction d'un plan d'intervention est l'élève en difficulté lui-même. Il peut s'agir d'enfants handicapés par une déficience visuelle, auditive, physique ou intellectuelle, d'enfants en difficulté d'apprentissage (légère ou grave), ayant des problèmes de conduite et de comportement ou encore ayant des problèmes graves de développement. Certaines déficiences ou difficultés sont décelées bien avant que l'enfant n'entre à l'école. Tel est le cas, par exemple, des déficiences physiques ou sensorielles. Les enfants recevront généralement dès l'âge préscolaire des services destinés à faciliter leurs apprentissages. Leurs parents participeront, avec le personnel concerné, à l'élaboration de plans d'intervention personnalisés et de plans de services.

Cependant, pour la grande majorité des élèves en difficulté, ce n'est qu'au moment de la scolarisation que se manifestent certains problèmes telles les difficultés d'apprentissage en français ou en mathématiques. En classe, l'enseignant est sans doute le premier à observer les forces et les faiblesses de l'enfant. Si les problèmes de l'enfant nécessitent une aide dépassant le cadre des ressources habituelles de la classe, il est de la responsabilité de l'enseignant d'en faire rapport à la direction de l'école afin qu'il y ait, si nécessaire, une étude plus approfondie de la situation. La démarche d'aide se déroule donc par étapes. Tour à tour, nous verrons ces divers paliers et expliquerons comment le plan d'intervention s'insère dans ce processus.

2.2 *Première étape : le constat des difficultés de l'élève par l'enseignant*

Les enseignants constatent parfois que des élèves éprouvent plus de difficulté à apprendre dans certaines situations. Bien que l'erreur fasse partie intégrante de l'apprentissage, certains problèmes plus graves persistent et nécessitent une intervention planifiée, organisée.

La première étape pour aider l'enfant en difficulté consistera à observer en classe des situations « naturelles » des comportements, des apprentissages réussis ou des échecs, etc. Cette étape peut indiquer que l'enfant éprouve des difficultés passagères et normales dans son développement, elle peut aussi mettre en évidence des solutions. La première observation, relativement informelle, peut ne régler qu'une partie du problème ou même laisser le problème entier et révéler qu'une observation plus poussée est nécessaire. La figure 2.1 illustre cette première étape dans l'évaluation des difficultés d'un enfant.

Figure 2.1
La constatation des difficultés de l'élève par l'enseignant

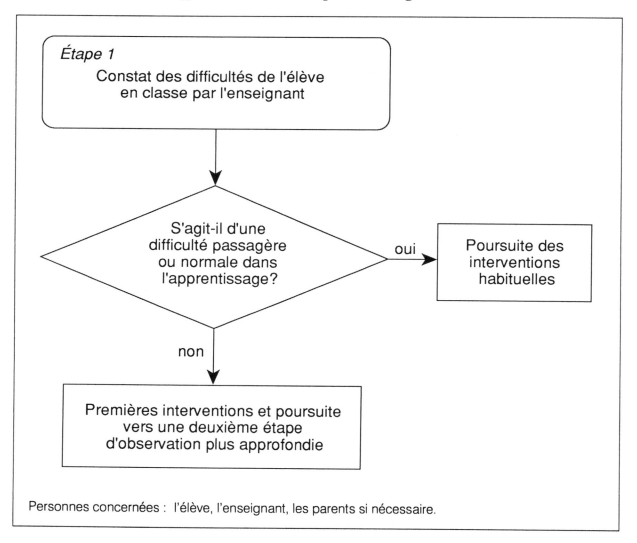

2.3   *Deuxième étape : une analyse plus poussée de la situation*

Si les difficultés persistent, de meilleures informations sont requises pour compléter l'analyse de la situation. L'enseignant consigne alors plus systématiquement ses évaluations des apprentissages et ses observations du comportement de l'élève (par exemple, à l'aide d'un journal de bord). Il peut discuter de la situation avec l'élève, la direction ou les autres enseignants qui rencontrent l'enfant et communiquer avec ses parents. Tous ces éléments peuvent contribuer à régler la situation. Toutefois, il est possible que le problème ne soit réglé que partiellement ou encore qu'il demeure entier. L'enseignant juge de la nécessité d'une évaluation et d'une intervention plus précises.

Figure 2.2
Deuxième étape : une observation bien organisée

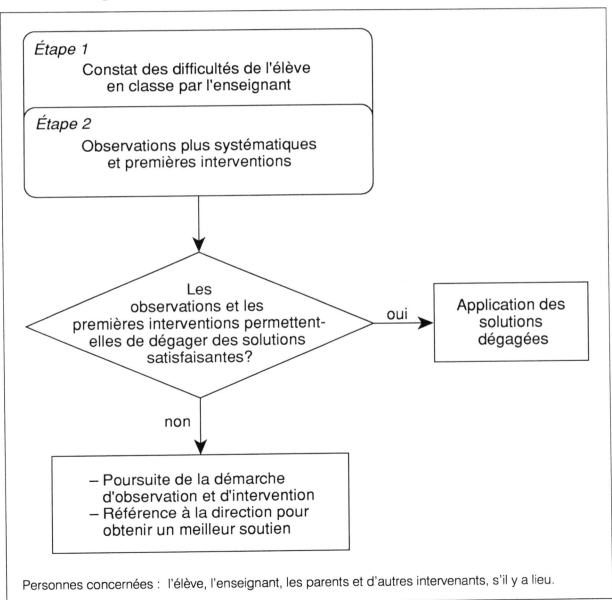

2.4   Troisième étape : la référence[1]

Dans la plupart des écoles, l'enseignant désirant obtenir des services spécialisés, soit pour approfondir l'évaluation des difficultés de l'enfant ou pour intervenir auprès de l'élève, doit s'adresser à la direction. C'est le *processus de référence*. Plusieurs commissions scolaires ont conçu des formulaires pour faciliter cette démarche. Au moment de la référence, les enseignants remplissent ces documents et les remettent à la direction de l'école. La figure 2.3 présente un exemple de formulaire de référence.

À la suite de la référence, la direction peut appeler les parents, les rencontrer. Par exemple, pour un élève présentant des problèmes de conduite et de comportement, la direction peut communiquer avec les parents, l'enseignant et l'élève, discuter de leurs perceptions et des causes du problème, et chercher avec eux diverses solutions. Cette étape peut aussi indiquer qu'une évaluation plus approfondie des difficultés est nécessaire pour mieux connaître les besoins de l'enfant. La figure 2.4 schématise l'ensemble de ces étapes.

Par ailleurs, l'entente intervenue (1989-1991) entre le comité patronal de négociation des commissions scolaires pour catholiques et les syndicats d'enseignants et d'enseignantes représentés par la Centrale de l'enseignement du Québec prévoit les mesures suivantes aux clauses 8-9.06 et 8-9.07, lorsqu'un enseignant décèle des difficultés importantes chez un élève :

8-9.06 Lorsqu'une enseignante ou un enseignant décèle dans sa classe un ou une élève qui, à son avis, présente des difficultés particulières d'adaptation ou d'apprentissage, ou présente des signes d'une déficience physique, auditive ou visuelle, intellectuelle ou mentale, elle ou il fait rapport à la direction de l'école afin que l'étude de cas soit faite par le comité prévu à la clause 8-9.07. La présente clause s'applique tant pour les groupes réguliers que pour les classes spéciales.

---

1.   Référence : ce mot n'est pas utilisé ici selon le sens exact donné par les dictionnaires. Toutefois, comme il s'agit de l'expression la plus utilisée dans le milieu scolaire pour décrire la demande faite par l'enseignant pour obtenir une étude de cas et afin d'éviter les confusions qu'entraînerait l'usage d'un autre terme, nous l'utiliserons.

Figure 2.3
Exemple de formulaire de référence

Formulaire de référence

(Informations confidentielles)

Nom de l'élève:

Classe:

Enseignant:

Date de la référence:

Secteurs de référence: ☐ Français ☐ Mathématiques ☐ Comportement

Autres (précisez):

Motifs de la référence:

Interventions précédant la référence:

Les parents ont-ils été informés des difficultés de l'élève?

Figure 2.4
Troisième étape : la référence

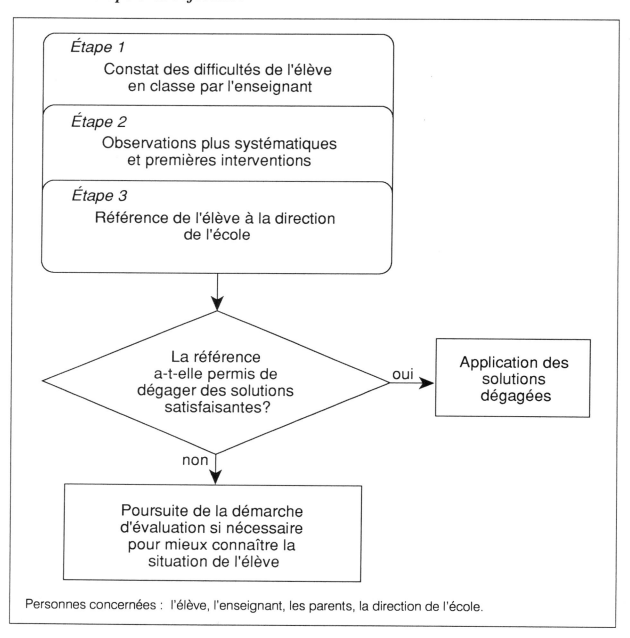

Étape 1
Constat des difficultés de l'élève
en classe par l'enseignant

Étape 2
Observations plus systématiques
et premières interventions

Étape 3
Référence de l'élève à la direction
de l'école

La référence
a-t-elle permis de
dégager des solutions
satisfaisantes?   — oui →   Application des
solutions
dégagées

non

Poursuite de la démarche
d'évaluation si nécessaire
pour mieux connaître la
situation de l'élève

Personnes concernées : l'élève, l'enseignant, les parents, la direction de l'école.

8-9.07 A) La directrice ou le directeur de l'école met sur pied un
comité ad hoc formé d'une représentante ou d'un représentant de
la direction de l'école, d'une professionnelle ou d'un professionnel
et de la ou des enseignantes ou du ou des enseignants concernés
dans le but d'assurer l'étude de cas et le suivi d'un ou d'une élève

handicapée ou en difficulté d'adaptation ou d'apprentissage. Plus particulièrement, ce comité a pour mandat :

1) *d'étudier chaque cas soumis ;*

2) *de demander les évaluations pertinentes au personnel compétent ;*

3) *de revoir, dans les trente (30) jours de la demande, le rapport de l'évaluation prévue au sous-paragraphe précédent ;*

4) *de faire des recommandations à la directrice ou au directeur de l'école sur le classement d'une ou d'un élève, son intégration s'il y a lieu et les services d'appui à lui donner ;*

5) *de veiller à l'application des mesures prises concernant le plan d'intervention et le suivi de l'intégration s'il y a lieu ;*

6) *le cas échéant, de reprendre le processus prévu aux sous-paragraphes 1) à 5) qui précèdent en vue de donner son avis sur la révision de l'état et l'identification d'un ou d'une élève handicapée ou en difficulté d'adaptation ou d'apprentissage* (p. 136).

2.5 Quatrième étape : l'évaluation des besoins de l'élève, de ses forces et de ses faiblesses

La connaissance des besoins, des forces et des difficultés de l'élève est nécessaire à la planification de buts et d'objectifs d'apprentissage individualisés. Les données de l'évaluation devront situer à la fois les forces et les faiblesses de même que les résultats actuels de l'enfant (Schenck, 1980). Selon Schenck (1980), il doit y avoir une relation directe entre les buts fixés dans le plan d'intervention et le niveau présent de réussite. Le choix des instruments d'évaluation sera personnalisé et adapté à chaque élève.

2.5.1 Des sources d'information diversifiées

L'information utilisée pour élaborer le plan d'intervention provient de sources diverses : formulaires de référence, dossier de l'élève, entrevues avec les parents, les enseignants, l'élève, etc. Hudson et Graham (1978) indiquent que les sources suivantes d'information permettent de mieux connaître l'élève :

1. *les évaluations formelles*
   - *psychologiques*
   - *éducatives*

> – *émotives*
> – *sociales,*

2. *les forces et les faiblesses scolaires,*

3. *les observations du comportement,*

4. *l'histoire antérieure d'apprentissage,*

5. *les relations entre l'apprentissage et le comportement,*

6. *les méthodes d'apprentissage déjà utilisées,*

7. *les techniques d'apprentissage déjà utilisées,*

8. *le matériel d'apprentissage utilisé,*

9. *le style d'apprentissage,*

10. *les relations interpersonnelles de l'élève (avec ses pairs, les enseignants et les autres),*

11. *les besoins liés à l'apprentissage,*

12. *les conditions physiques ou sensorielles* (p. 17).

Le tableau 2.1 présente quelques sources d'information utilisées couramment dans l'évaluation des élèves en difficulté de comportement ou d'apprentissage.

Les instruments d'évaluation seront choisis en fonction des besoins de l'élève et de l'information requise (Hudson et Graham, 1978). Le tout doit demeurer fonctionnel, demander un délai raisonnable et apporter aux intervenants une information suffisante pour enrichir leurs interventions.

2.5.2   *L'utilisation d'un bilan fonctionnel*

Dans le cadre de cette évaluation, le ministère de l'Éducation (1982, 1984) propose l'utilisation d'un bilan fonctionnel ainsi défini :

> *Un ensemble de données décrivant les forces et les faiblesses d'un élève qui rencontre des difficultés ainsi que les conditions de son développement, le tout servant à préparer un plan d'action applicable dans le contexte scolaire le plus normal possible* (ministère de l'Éducation, Fascicule Texte d'orientation, 1984, p. 9).

Le bilan fonctionnel propose non seulement de tenir compte des forces et des faiblesses de l'élève, mais également de son environnement.

> *Décrire les conditions de développement de l'élève, c'est voir celui-ci en relation avec les divers éléments de son environnement : l'école, les pairs, la famille, la société. C'est voir l'élève dans le*

concret, dans le réel de ses échanges avec eux. Dans l'optique du bilan fonctionnel, c'est voir les éléments de cet ensemble et retenir ceux qui peuvent maintenir l'élève dans ses difficultés à l'école, mais aussi ceux qui peuvent servir de points d'appui dans l'aide à lui apporter.

Lorsqu'on établit concrètement un bilan fonctionnel, on doit bien considérer tous les éléments, c'est-à-dire être conscient de leur existence et de leur influence potentielle sur l'élève-apprenant. Compte tenu toutefois de la nature des difficultés de l'élève, compte tenu aussi des actions d'aide déjà entreprises par l'école et de leurs résultats, l'ampleur et la profondeur de l'évaluation à faire et du bilan fonctionnel à constituer diffèrent selon le cas. Le jugement des intervenants est alors de première importance (p. 12).

C'est donc dire que l'évaluation porte non seulement sur les apprentissages réalisés, mais également sur l'ensemble de l'environnement susceptible d'influencer les acquisitions de l'élève. Parmi les variables importantes, Hudson et Graham (1978) suggèrent de considérer l'environnement physique et émotif de la classe, les attitudes de l'enseignant, l'organisation des programmes offerts aux élèves dans la classe, le matériel pédagogique utilisé, les stratégies de renforcement, les méthodes utilisées pour faire correspondre les besoins de l'enfant avec l'enseignement, les relations interpersonnelles avec l'enseignant, les pairs et les autres.

Dans la *Formule d'aide à l'élève qui rencontre des difficultés*, le ministère de l'Éducation (1982, 1984) a publié des outils qui facilitent l'établissement de ce bilan fonctionnel : listes des objectifs des programmes d'études, questionnaire de participation de l'élève et des parents, grille d'observation des comportements, guide pour les rencontres avec l'élève, etc. Malheureusement, plusieurs enseignants craignent que le temps requis pour compiler ces données et constituer ces documents ne soit trop long. Jenkins et Pany (1978) soulignent l'importance, au stade de l'évaluation, de tenir compte aussi des besoins des éducateurs quant à l'adéquation des instruments qui mesurent les apprentissages avec les programmes employés. Ces auteurs suggèrent l'utilisation d'épreuves de type critérié et la prise de mesures fréquente et directe des résultats de l'enfant selon le programme en vigueur dans la classe, de manière à bien cerner les habiletés maîtrisées et celles qui ne le sont pas par rapport à ce qui est enseigné dans la classe. Plusieurs utilisent les bulletins descriptifs pour faciliter cette opération.

Tableau 2.1
Quelques sources d'information pour l'évaluation d'un élève
en difficulté

Source	Description de l'information
Les formulaires utilisés pour la référence.	L'enseignant a résumé dans ces formulaires l'ensemble de ses observations.
Le dossier de l'élève.	Le dossier de l'élève peut révéler le passé scolaire, les méthodes d'apprentissage utilisées, les interventions déjà réalisées.
Les bulletins.	Les bulletins renseignent sur le rendement scolaire de l'enfant. S'ils sont critériés, ils permettent de déterminer les objectifs atteints et non atteints par l'élève.
Les productions de l'élève.	Les travaux exécutés en classe ou les devoirs faits à la maison montrent les forces et les faiblesses de l'élève.
Les examens et les tests scolaires de la commission scolaire (s'il y a lieu).	Ces épreuves permettent de préciser le rendement de l'élève et de le situer par rapport à son groupe d'appartenance et à son niveau.
L'observation de l'élève en classe ou dans d'autres lieux.	L'observation est un outil privilégié pour l'étude des comportements de l'enfant. Elle permet de noter les événements qui déclenchent certaines réactions, de remarquer le comportement qui s'ensuit et d'établir des relations entre divers événements.
Les entrevues.	Les entrevues apportent plusieurs informations sur les causes des difficultés scolaires, sur les perceptions qu'en a l'élève et sur les sentiments qu'il entretient par rapport à ces difficultés. Elles peuvent être faites avec l'enseignant, l'enfant, les parents ou d'autres intervenants.
Des tests spécialisés et des échelles diverses.	En fonction de l'évaluation requise, des instruments tels des tests d'intelligence et de personnalité apportent des informations aidant à mieux comprendre la situation. Des échelles, par exemple sur l'hyperactivité, permettent de mieux cerner la situation.
Des examens sur la santé physique.	Dans certains cas, il est nécessaire d'obtenir l'état de santé de l'enfant ou encore une évaluation de sa vision et de son audition.

Par ailleurs, des commissions scolaires et le ministère de l'Éducation ont préparé à partir des programmes diverses listes d'objectifs qui permettent d'établir plus facilement le niveau de connaissance de l'élève. La figure 2.5 est un exemple partiel de ces listes. Des intervenants en milieu scolaire possèdent également des formulaires qui aident à recueillir des informations sur l'élève.

De plus, Fuchs et Fuchs (1986) soulignent la nécessité d'intégrer dans le processus d'évaluation les données obtenues à l'aide de l'évaluation formative. À partir d'une importante métanalyse, leurs résultats révèlent « que l'utilisation systématique de procédures d'évaluation formative, dans un groupe d'études où l'on retrouve des sujets handicapés légers, augmente significativement le rendement des élèves à l'école, à la fois statistiquement et pratiquement » (p. 205).

Le processus d'évaluation doit donc tenir compte des forces et des faiblesses de l'enfant, être fonctionnel et considérer non seulement des caractéristiques personnelles de l'élève mais aussi des caractéristiques de son environnement, l'élève étant en constante interaction avec ce qui l'entoure. Cette évaluation devrait préciser la nécessité d'établir le plan d'intervention personnalisé ou encore d'intervenir d'une autre façon. La figure 2.6 situe l'évaluation et le bilan fonctionnel de l'élève dans ce processus.

2.6   Le plan d'intervention, son application et l'évaluation de ses effets

L'évaluation complétée, la direction de l'école convoque les participants à une réunion : les parents, l'élève s'il est capable d'y participer, l'enseignant, les spécialistes en cause dans le dossier et toute autre personne jugée nécessaire. Au cours de cette réunion, on résume les forces, les faiblesses et les besoins de l'élève. On planifie alors les buts annuels du plan d'intervention et les objectifs à court terme. On précise également les critères d'évaluation de ces objectifs, leurs conditions de réussite, les moyens et stratégies d'intervention, on détermine les responsables de cette intervention et on fixe les échéances de travail. Le chapitre 3 précise la nature de chacun des termes utilisés dans le plan d'intervention. Le chapitre 4 indique l'influence de l'animation des réunions sur le plan d'intervention et les conditions qui favorisent la participation des parents.

Figure 2.5
Exemple de listes d'objectifs

la commission scolaire de Jacques-Cartier

SPHÈRE ACADÉMIQUE

MATIÈRE : MATHÉMATIQUES – 1er CYCLE ET 2e CYCLE

En mathématiques, des difficultés s'inscrivent à ou aux indicateurs suivants :

Résolution de problèmes

1. Établit des relations entre les informations données et les informations recherchées. ☐

2. Élabore des stratégies pertinentes. ☐

Nombre

1. Compose et décompose un nombre. ☐
2. Compare des nombres. ☐
3. Effectue des additions et des soustractions sur des nombres inférieurs à 10. ☐
4. Représente un nombre selon ses valeurs de position. ☐
5. Décompose un nombre par une suite d'opérations. ☐

6. Effectue à l'aide de matériel les quatre opérations. ☐
7. Effectue les quatre opérations. ☐
8. Maîtrise les tables d'addition et de soustraction. ☐
9. Effectue les quatre opérations au moyen de techniques de calcul. ☐
10. Maîtrise les tables de multiplication et de division. ☐

11. Trouve des représentations de fractions ordinaires. ☐
12. Trouve des représentations de fractions ordinaires et décimales. ☐
13. Effectue des opérations sur des fractions ordinaires à l'aide de matériel. ☐
14. Représente les opérations sur des entiers relatifs. ☐

Géométrie

1. Mesure des longueurs. ☐
2. Classifie et organise des éléments selon une ou plusieurs propriétés. ☐
3. Décrit certaines caractéristiques des solides et des figures planes. ☐

4. Situe des éléments sur une droite et dans un plan. ☐
5. Établit des relations entre des longueurs : mètre, décimètre, centimètre. ☐
6. Effectue des transformations géométriques. ☐

7. Mesure des longueurs, des surfaces, des volumes. ☐
8. Classifie des solides et des figures planes. ☐
9. Décrit des transformations géométriques. ☐

SPHÈRE ACADÉMIQUE

MATIÈRE : FRANÇAIS – 1er CYCLE ET 2e CYCLE

En français, des difficultés s'inscrivent à ou aux indicateurs suivants :

Communication orale

1. Choisit et organise correctement les informations.

Lecture

1. Reconnaît les lettres de l'alphabet.
2. Reconnaît les mots vus fréquemment.
3. Lit des mots nouveaux :
   a) en se servant du contexte
   b) en se servant des syllabes
4. Repère des informations dans une phrase et dans un texte.
5. Repère des informations données telles quelles dans le texte.
6. Sélectionne des informations lues.
7. Regroupe et organise des informations lues.
8. Fait des liens et dégage des informations implicites.

Écriture

1. Reproduit des mots et des phrases selon un modèle.
2. Transforme ou complète un message.
3. Choisit et organise les informations d'un message.
4. Écrit tous les mots nécessaires à la clarté de la phrase.
5. Orthographie correctement les mots fréquemment utilisés.
6. Marque la phrase d'une majuscule et d'un point.
7. Respecte l'espace entre les mots.
8. Calligraphie lisiblement.
9. Choisit les informations pertinentes.
10. Organise les informations d'une façon cohérente.
11. Structure adéquatement les phrases.
12. Fait accorder les finales des verbes à des temps simples.
13. Marque le genre et le nombre des noms.
14. Marque le genre et le nombre des adjectifs et des déterminants.
15. Fait accorder les verbes aux temps simples et usuels.
16. Calligraphie lisiblement en script lié.
17. Calligraphie lisiblement et rapidement.

Reproduit avec la permission de la Commission scolaire Jacques-Cartier.

Figure 2.6
Quatrième étape : l'évaluation des besoins de l'élève

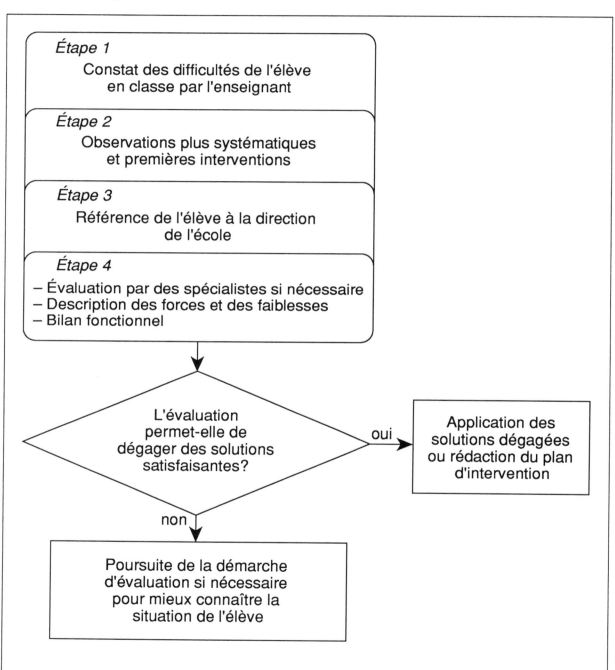

Étape 1

Constat des difficultés de l'élève
en classe par l'enseignant

Étape 2

Observations plus systématiques
et premières interventions

Étape 3

Référence de l'élève à la direction
de l'école

Étape 4

– Évaluation par des spécialistes si nécessaire
– Description des forces et des faiblesses
– Bilan fonctionnel

L'évaluation
permet-elle de
dégager des solutions
satisfaisantes?

oui → Application des
solutions dégagées
ou rédaction du plan
d'intervention

non → Poursuite de la démarche
d'évaluation si nécessaire
pour mieux connaître la
situation de l'élève

Personnes concernées : l'élève, l'enseignant, les parents, la direction et les autres intervenants auprès
de l'élève.

Figure 2.7
Cinquième et sixième étapes : la rédaction et l'application du plan d'intervention

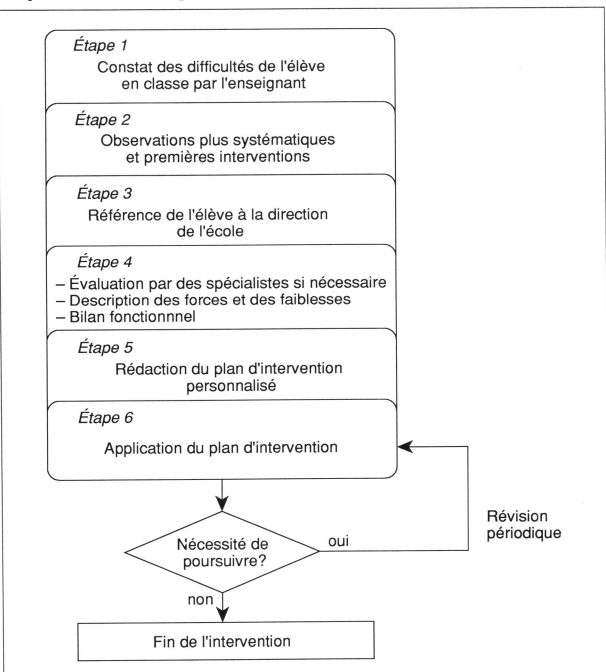

Une fois le plan élaboré, les intervenants doivent l'appliquer. À intervalles réguliers (aux étapes par exemple), les intervenants révisent le plan d'intervention et réajustent leur action en fonction des résultats obtenus avec l'élève. La rédaction du plan d'intervention s'inscrit donc dans un processus où l'évaluation et les apprentissages de l'élève jouent un rôle essentiel.

La figure 2.7 illustre l'ensemble de la démarche.

L'élaboration d'un plan d'intervention est donc un processus très dynamique. À chacune des étapes, diverses décisions doivent être prises. Des solutions concertées peuvent aussi être mises en évidence par les intervenants et par l'élève. Cette démarche se fonde sur l'évaluation des besoins, des forces et des points faibles de l'élève et tient compte de sa relation avec son environnement et avec ses pairs.

RÉSUMÉ

L'élaboration d'un plan d'intervention s'insère dans une démarche globale d'aide aux élèves en difficulté. Dans cette démarche, l'évaluation des besoins, des forces et des faiblesses de l'élève revêt une importance capitale, car c'est à partir de la situation de l'enfant qu'il sera possible d'élaborer un véritable plan personnalisé. Lorsque le plan est rédigé, il convient de l'appliquer et de prévoir des mécanismes de révision périodique des interventions.

MOTS CLÉS

✓ Observation

✓ Évaluation

✓ Bilan fonctionnel

✓ Processus de référence

✓ Sources d'information

EXERCICES

Voici deux cas types d'élèves en difficulté. Après les avoir lus, indiquez quelles seraient les étapes à suivre pour chacun.

PREMIÈRE SITUATION

Alexandre : 8 ans.
Date d'anniversaire : 28 septembre.
Niveau scolaire : troisième année.
Date de la référence : 25 février de l'année scolaire en cours.

Motifs de référence et informations générales transmises par l'enseignant :
Le cas d'Alexandre est soumis à la direction pour que celle-ci demande à l'orthopédagogue d'évaluer l'enfant. Alexandre présente des difficultés sérieuses en français écrit. Ses travaux écrits révèlent qu'il n'atteint pas tous les objectifs de première année. Entre autres, ses lettres sont mal formées, il n'utilise pas de point à la fin des phrases ni de majuscule au début de chacune. Par ailleurs, ses mots sont constamment truffés de fautes d'orthographe, seuls les plus simples en sont exempts. À peu près systématiquement, il oublie de mettre des s lorsqu'il s'agit d'indiquer le pluriel des noms.

Pourtant en lecture ses performances sont bonnes, il comprend bien les textes lus et répond avec facilité aux questions de compréhension. En mathématiques, ses résultats sont excellents. En classe, il se comporte bien, il respecte la discipline. Il a de nombreux amis à la récréation. Il s'exprime au bon moment. L'enseignant a rencontré ses parents lors de la remise du bulletin. Ils semblent intéressés à collaborer.

L'enseignante de deuxième année (la titulaire d'Alexandre l'an dernier) a été rencontrée. Alexandre présentait aussi à ce niveau des difficultés d'écriture, mais elle a préféré ne pas soumettre immédiatement son cas à la direction, croyant que les choses s'arrangeraient. Elle hésite d'ailleurs beaucoup à référer les enfants de son groupe. Selon elle, à partir du moment où l'enfant se croit en difficulté, il se sent moins bon, et cette perception augmente ses difficultés.

Selon vous, quelles sont les évaluations qu'il serait nécessaire d'effectuer pour Alexandre ? Quelles démarches devrait-on entreprendre ?

DEUXIÈME SITUATION

Jacques : 11 ans.
Date d'anniversaire : 28 mars.
Niveau scolaire : cinquième année.
Date de la référence : 22 novembre de l'année scolaire en cours.

Jacques est référé par son enseignante parce qu'il dérange les autres élèves. Constamment, ce garçon réclame de l'attention. Cette attitude est particulièrement marquée pendant les exercices écrits d'une durée de plus de 30 minutes. Jacques a beaucoup de difficulté à entreprendre un exercice demandé, à s'organiser et à planifier son travail. Si l'enseignante ne lui donne pas un soutien constant, il abandonne très rapidement la tâche pour se distraire et, surtout, distraire les autres. Il essaie alors d'entreprendre avec ses camarades des conversations sur tout sauf sur le travail exigé !

Autre problème : Jacques a l'habitude d'oublier à la maison une grande partie du matériel nécessaire en classe. Régulièrement, il emprunte les crayons des autres et leurs gommes à effacer. Ces emprunts surviennent surtout lorsque ses camarades utilisent ce matériel. Par conséquent, il s'ensuit de petites altercations et de nombreuses protestations de la part des enfants. Naturellement, ce scénario perturbe le bon fonctionnement de la classe. De plus, Jacques laisse souvent son matériel scolaire dans sa case au lieu de le déposer dans son pupitre. Cette négligence lui donne un excellent prétexte pour sortir de la classe, en règle générale sans demander l'autorisation. Lorsque l'enseignante donne des explications, il fait autre chose, fouille dans son bureau, échappe ses choses par terre, se lève pour les ramasser, parfois se promène d'un pupitre à l'autre.

Jacques a doublé sa quatrième année. Le dernier bulletin révèle qu'il n'a pas atteint tous les objectifs prévus au cours de la première étape. L'enseignante croit que les résultats de Jacques sont aussi faibles, non pas par manque de potentiel ou en raison de difficulté grave d'apprentissage, mais parce qu'il s'applique beaucoup plus à attirer l'attention des autres qu'à effectuer son travail. Au cours de minutes de récupération, il arrive à l'occasion que l'enseignante travaille seule avec Jacques. Il comprend alors facilement les explications et, guidé pas à pas, il réussit les exercices proposés. Mais dès que l'encadrement est moins structuré, Jacques ne termine pas ses exercices. Il aggrave actuellement son retard scolaire. S'il continue de la sorte, confie son enseignante, il devra être inscrit au secondaire dans un cheminement particulier.

Toujours selon son enseignante, plusieurs des problèmes de Jacques sont liés à sa situation familiale. Jacques vit seul avec sa mère. À la remise du bulletin, celle-ci ne s'est pas présentée. Elle occupe plusieurs emplois à temps partiel comme serveuse dans des restaurants ou vendeuse dans des magasins. Jacques raconte que, lorsqu'il rentre le soir à la maison, sa mère est trop souvent absente. Elle rentre en général vers 20 h ou 21 h, quand ce n'est pas plus tard. Elle est dans ces circonstances toujours très fatiguée et n'a pas le temps de vérifier les devoirs et les leçons de son fils. Le matin, elle est souvent endormie au départ de Jacques pour l'école. De plus, Jacques arrive en classe en retard d'une bonne demi-heure au moins trois ou quatre fois par mois. L'enseignante croit qu'il se couche très tard car il raconte régulièrement le contenu d'émissions de télévision diffusées après 22 h. Par ailleurs, Jacques s'est confié un jour à son enseignante. Il dit que sa mère l'aime beaucoup, il parle d'elle avec beaucoup d'affection et précise qu'elle fait tout son possible pour les faire vivre convenablement mais que, malheureusement, elle est trop souvent débordée ou fatiguée. Selon lui, tous ces problèmes sont imputables à son père, qui les a quittés trois ans auparavant.

En résumé, l'enseignante croit qu'il faut apporter de l'aide à Jacques. Elle-même désire être aidée pour maîtriser le comportement de cet élève qui perturbe de plus en plus le fonctionnement normal de la classe.

Selon vous, quelles sont les démarches à entreprendre dans cette situation ? Y a-t-il des évaluations à proposer pour mieux connaître les besoins de Jacques ? Si oui, lesquelles ?

LECTURES SUGGÉRÉES

Bouchard, G.E. (1985). *Un enfant, un besoin, un service*. Montréal : Conseil scolaire de l'île de Montréal.

Hudson, F.G. et Graham, S. (1978). An approach operationalizing the I.E.P. *Learning Disabilities Quarterly. 1*, 13-32.

CHAPITRE 3

Les composantes et la structure du plan d'intervention personnalisé

CONTENU DU CHAPITRE

OBJECTIFS

À la fin de cette partie vous devriez être en mesure :

❏ de décrire la structure globale d'un plan d'intervention personnalisé ;

❏ de formuler un résumé du rendement actuel d'un élève et de préciser ses forces et ses besoins ;

❏ de définir et de formuler correctement les buts et les objectifs d'un plan d'intervention ;

❏ de définir les notions de critères et de conditions de réussite ;

❏ de définir les notions de moyens d'apprentissage, de fixer des échéanciers et de déterminer des responsables d'intervention ;

❏ de rédiger un plan d'intervention personnalisé.

3.1 Introduction

Le troisième chapitre de ce guide est consacré à la description des éléments présents dans un plan d'intervention : le résumé des forces, des faiblesses et des besoins de l'élève, les buts et les objectifs d'intervention, les critères d'évaluation, etc. Le chapitre débute avec la présentation d'un formulaire de plan d'intervention personnalisé. Chacun des éléments de ce plan est par la suite présenté et expliqué à l'aide d'exemples. Tout au long du chapitre, la construction graduelle d'un plan d'intervention illustrera chacune des notions présentées. Nous utiliserons le cas de Pierre, un élève de troisième année au primaire. Comme bien des élèves, Pierre éprouve des difficultés en orthographe et en écriture, mais dans son cas ces problèmes influencent son comportement en classe.

Il est à noter que le formulaire présenté au début de ce chapitre n'est pas le seul utilisé en milieu scolaire pour rédiger un plan d'intervention. Les commissions scolaires ou divers auteurs ont conçu des modèles plus ou moins similaires ; vous trouverez d'autres exemples à la toute fin du chapitre.

3.2   Formulaire de plan d'intervention personnalisé

La figure 3.1 est un exemple de formulaire. Nous reprendrons ce modèle, section par section, au fil du chapitre, pour illustrer la démarche de plan d'intervention personnalisé.

3.3   Composantes et structure du plan d'intervention personnalisé

Le plan d'intervention inclut diverses composantes : des informations de base (renseignements usuels), une description de la situation de l'élève (motifs de référence, forces, besoins), un plan d'action décrivant les buts et les objectifs d'intervention. Les pages suivantes décrivent chacune de ces composantes et présentent des exemples concrets pour chacune d'elles. Les divers éléments inclus dans le plan d'intervention sont illustrés dans l'élaboration graduelle du plan de l'élève, Pierre.

3.3.1   Les informations de base

Les renseignements usuels

Le formulaire décrit d'abord les renseignements de base : le nom de l'élève, sa date de naissance, sa classe, son école, la date de référence. La date à laquelle l'élève a été référé permet d'évaluer le temps écoulé entre la réunion de planification du plan et le moment où l'enseignant a référé l'élève.

Les spécifications sur la date de la réunion et les personnes qui y sont présentes

Il convient d'indiquer la date de la rencontre où les intervenants rédigent le plan d'intervention personnalisé. On note le nom des personnes présentes à la réunion de même que les fonctions de ces personnes : parents, élèves, titulaire, direction de l'école, etc. Le nom du coordonnateur du plan, celui qui est chargé d'animer la réunion, est indiqué. La figure 3.2 illustre comment ces diverses informations ont été rédigées dans le formulaire de Pierre.

Figure 3.1
Exemple de formulaire de plan d'intervention

Plan d'intervention personnalisé

(Informations confidentielles)

Nom de l'élève:

Classe: École:

Date de naissance:

Code permanent:

Date de la référence: Date de la réunion du plan d'intervention:

Personnes présentes:

Nom	Fonction

Nom	Fonction

Nom du coordonnateur du plan d'intervention:

SYNTHÈSE DE LA SITUATION DE L'ÉLÈVE

Secteurs de référence: ☐ Lecture ☐ Écriture ☐ Français oral
☐ Mathématiques ☐ Comportement social ou développement affectif
☐ Autres (précisez):

Motifs de référence:

Évaluations réalisées (résumé)

Résumé des besoins, des forces et des faiblesses:

LES BUTS DU PLAN D'INTERVENTION

1-

2-

3-

4-

LE PLAN D'INTERVENTION

LES OBJECTIFS D'INTERVENTION

Les comportements à réaliser à la suite des apprentissages	Évaluation (s'il y a lieu, critères et conditions de réussite)	Moyens, stratégies, ressources	Intervenants	Échéances	Résultats obtenus, commentaires

Regroupement fréquenté (classe ordinaire, classe-ressource, etc.) et pourcentage du temps dans une classe ordinaire:

Recommandations particulières:

MISE EN APPLICATION

Objectifs à poursuivre:

Nouveaux objectifs à déterminer:

Fin du plan:

Période de mise en application du plan: de ___ à ___

Date prévue pour l'évaluation du plan:

Recommandations à la suite de l'évaluation du plan:

SIGNATURES

Autres participants _____

Parents _____

Élève (si possible) _____

Direction de l'école _____

Enseignant _____

Figure 3.2
Les informations de base dans le plan d'intervention personnalisé de Pierre

Nom de l'élève: *Pierre Pelletier*[1]		Date de naissance: *3 octobre 1982*	
Classe: *troisième année*	École: *Le soleil levant*	Code permanent: *PELP03108202*	
Date de la référence: *10 novembre*		Date de la réunion du plan d'intervention: *28 novembre 1991*	
Personnes présentes: Nom	Fonction	Nom	Fonction
M. Leblanc	*directeur de l'école*	*Mme Roy*	*orthopédagogue de l'école*
Mme Tremblay	*enseignante titulaire*	*Mme et M. Pelletier*	*parents de Pierre*
	de troisième année	*Pierre*	*élève*
Nom du coordonnateur du plan d'intervention: *Jacques Leblanc, directeur de l'école*			

[1] Les noms utilisés dans cette étude sont fictifs

3.3.2   La situation de l'élève

Les secteurs et les motifs de la référence

Dans cette section, on précise dans quels secteurs l'élève semble avoir besoin d'aide : français, mathématiques, adaptation sociale, etc. Une brève description des motifs de la référence indique pourquoi l'élève est le sujet d'un plan d'intervention. Éprouve-t-il des difficultés en français, en mathématiques ? Manifeste-t-il des besoins sur le plan affectif ou sur celui du comportement ? Il s'agit ici de résumer les raisons qui justifient une intervention plus personnalisée.

Le résumé des évaluations

Un résumé des évaluations effectuées permet, lors de la réunion et lorsqu'il est nécessaire de se référer au plan, de mieux situer l'élève. Cet élément ne saurait en aucune façon remplacer les dossiers personnels des enseignants et des spécialistes, puisqu'il ne s'agit que d'une synthèse des points importants. Il est à noter ici que des intervenants en milieu scolaire préfèrent pendant la réunion utiliser directement le dossier de l'élève plutôt qu'une synthèse.

La description des forces, des faiblesses et des besoins de l'élève

La détermination précise des besoins, des forces et des faiblesses de l'élève facilite l'élaboration des buts et objectifs d'intervention. C'est un préalable à la planification des apprentissages. Il est important de bien repérer les forces de l'élève, car c'est à partir des acquis qu'il est possible de prévoir de nouveaux apprentissages. Quant aux faiblesses, elles constituent les secteurs où l'élève n'atteint pas les objectifs d'intervention demandés, ou encore les éléments qui lui posent des difficultés dans ses apprentissages.

On précise aussi dans le plan les besoins particuliers de l'enfant. Un besoin est une lacune quantifiable et mesurable dans les résultats, les attitudes ou le rendement entre l'idéal et le réel (Kibler *et al.*, 1981). Il existe plusieurs classifications des besoins humains, la plus connue étant sans doute celle de Maslow. Voici la hiérarchie que propose Maslow : les besoins physiologiques de base, les besoins de sécurité, d'amour et d'appartenance, d'estime de soi, d'actualisation de soi et les besoins de savoir et de comprendre. Maslow postule que les besoins de base doivent être satisfaits pour que les besoins d'un ordre supérieur tels savoir et comprendre puissent émerger avec toute leur force. Ce modèle sert souvent de base pour établir des priorités. Par exemple, si un élève manque de sommeil et qu'il ne déjeune pas le matin, ces besoins primaires ne seront pas satisfaits, ce qui influencera la satisfaction de ses besoins d'un ordre supérieur. Si les besoins physiques ne sont pas satisfaits chez un élève, il peut être nécessaire de commencer l'intervention à ce niveau.

La figure 3.3 présente le résumé de la situation personnelle de Pierre : secteurs et motifs de référence, sommaire des évaluations, résumé de ses forces, de ses faiblesses et de ses besoins.

3.3.3 *La planification des interventions*

Une fois les informations de base et le résumé des évaluations, des forces, des faiblesses et des besoins complétés, l'étape suivante consiste à planifier les interventions. Cette planification s'effectue par étapes. D'abord, l'équipe définit les buts du plan d'intervention. Puis, elle fixe précisément les objectifs d'apprentissage, détermine les critères d'évaluation, établit les conditions de réussite, spécifie les moyens utilisés pour y parvenir, désigne les intervenants responsables et délimite les échéances de travail. Ces éléments sont consignés dans la deuxième page du formulaire de plan d'intervention.

Voyons maintenant la définition de chacune de ces composantes.

Figure 3.3
Résumé de l'évaluation de Pierre, de ses points forts, de ses points faibles et de ses besoins

SYNTHÈSE DE LA SITUATION DE L'ÉLÈVE

Secteurs de référence: ☐ Lecture ☑ Écriture ☐ Français oral
☐ Mathématiques ☐ Comportement social ou développement affectif
☑ Autres (précisez): Comportement lors des tâches d'écriture

Motifs de référence: Pierre éprouve des difficultés sérieuses en orthographe et en syntaxe, et son écriture est à peine lisible. Le bulletin de la première étape indique qu'il n'a pas atteint la plupart des objectifs en français écrit. Lorsque Pierre a à écrire, il devient nerveux et gâche ses productions en effaçant ou en rayant tout. Il dit souvent: « Bon, de toute façon, à quoi ça sert, c'est jamais bon. » Actuellement, ces situations le mettent en colère, il a même dit des mots grossiers à son enseignante, ce qui lui a valu une copie et une visite chez le directeur. Il abandonne vite le travail écrit et durant ces périodes il dérange les autres.

Évaluations réalisées (résumé): Les évaluations du titulaire et de l'orthopédagogue indiquent que si, en lecture, Pierre atteint les objectifs du programme, en écriture, les objectifs de deuxième année ne sont pas atteints et plusieurs de ceux de première année non plus. En ce qui concerne l'orthographe, plusieurs automatismes des mots devant être acquis ne le sont pas encore, il omet de marquer le pluriel des noms et commet souvent des erreurs dans la finale des verbes, même à l'indicatif présent. Il oublie de mettre les lettres majuscules et les points à la fin des phrases. La calligraphie présente plusieurs difficultés: lettres mal formées, tros grosses, mots attachés ensemble, etc. Plusieurs stratégies en écriture ne semblent pas acquises. Les parents ont été informés et ils ont consulté des spécialistes pour faire examiner la vision et l'audition de Pierre. Rien de particulier n'est à signaler de ce côté.

Résumé des besoins, des forces et des faiblesses:
Les forces de Pierre: Pierre a un rendement dans la moyenne en mathématiques. Au point de vue social, on observe qu'il a plusieurs amis. Sauf lorsqu'il est dans la classe de français, son comportement en classe est très correct ; il est en général attentif aux explications. Il a un très bon sens de l'humour. Lorsqu'il rédige un texte, celui-ci est en général plein d'imagination et les histoires sont bien structurées.
Les faiblesses et les besoins de Pierre: les faiblesses de Pierre se situent surtout en français. Il a de la difficulté à accepter l'échec. Il a donc besoin d'acquérir des connaissances en français écrit et d'être aidé sur le plan affectif pour passer à travers ses difficultés.

Les buts du plan d'intervention

Le plan d'intervention peut contenir un ou plusieurs buts, selon les besoins de l'élève. Le but fait état de l'orientation à long terme (par exemple, annuelle) du plan d'intervention, alors que les objectifs précisent le comportement attendu une fois l'intervention terminée (Côté, Pilon, Dufour et Tremblay, 1989).

L'Indiana State Department of Education (1987) présente ainsi les caractéristiques des buts annuels :

1) *ils décrivent ce qu'un élève pourra normalement accomplir à la fin d'une année scolaire ;*

2) *ils sont fixés en fonction de l'évaluation de l'enfant ;*

3) *ils reflètent les résultats obtenus antérieurement par l'élève et son niveau actuel ;*

4) *ils sont basés sur les secteurs d'intervention prioritaires ;*

5) *ils peuvent à la fois inclure des interventions dans le domaine cognitif, psychomoteur et affectif.*

En fonction des auteurs ou des conditions dans lesquelles sont définis les plans d'intervention, divers degrés de précision des buts peuvent être notés. Voici quelques exemples de buts tirés de divers textes qui traitent de la rédaction de plans d'intervention personnalisés :

« Gilles maîtrisera les objectifs minimaux de deuxième année en lecture » (Bouchard, 1985, p. 29).

« Frank améliorera son habileté en lecture » (Good et Brophy, 1990, p. 653).

« Le plan d'intervention vise à rendre la personne plus autonome dans ses déplacements » (Boisvert, 1990, p. 91).

« L'élève manifestera des comportements appropriés pour entrer en interaction avec ses pairs » (Indiana State Dept. of Education, 1987, p. 30).

Le niveau de l'enfant, ses difficultés, ses forces, entrent en considération dans la définition des buts. Ainsi, un enfant ayant une déficience profonde pourrait mettre plusieurs mois pour apprendre à se brosser les dents, alors que cet apprentissage ne serait qu'une petite étape pour un autre enfant.

Voici quelques autres exemples de buts :

« Le plan d'intervention vise à améliorer les résultats de Luc en mathématiques. »

« Le but du plan d'intervention est d'améliorer les habiletés sociales de Johanne. »

« Le plan d'intervention vise à améliorer l'orthographe de Lise. »

Les objectifs

Après avoir déterminé les buts du plan, les intervenants procèdent à la définition des objectifs d'intervention. Les objectifs décrivent, sous forme de comportements, ce que l'élève sera capable de réaliser à la suite des apprentissages. Cette définition des objectifs fait partie d'un processus séquentiel, et il y a une relation directe entre la nature du but et les objectifs qui en sont issus. Aussi, d'un seul but peuvent découler divers objectifs.

Les caractéristiques des objectifs sont les suivantes :

1) ils sont définis en fonction de l'élève ;
2) ils sont décrits sous forme de comportements ;
3) ils sont indiqués en termes clairs.

Ces objectifs sont en général définis à court terme. Nous examinerons maintenant chacune de ces trois caractéristiques.

1. Définir des objectifs en fonction des besoins de l'élève

Les objectifs découlent de l'évaluation des forces, des faiblesses et des besoins de l'élève. Ils sont fixés à partir de ses capacités et, donc, *personnalisés*.

2. Décrire les objectifs sous forme de comportements

L'objectif décrit, sous forme de comportements, ce que l'élève sera capable de faire à la suite des apprentissages. Les comportements sont observables et mesurables. Ils doivent être distingués des jugements qui, eux, laissent place à de l'interprétation. Qualifier un enfant d'agressif, de désordonné, est un jugement posé après qu'il a brisé son matériel, par exemple, ou oublié d'apporter ses livres, etc. La formulation des objectifs sous forme de comportements est importante afin que tous les intervenants et l'élève lui-même sachent bien ce vers quoi est orienté l'apprentissage. Une indication comme « un enfant sera plus autonome » renseigne bien peu les intervenants. Que fera exactement l'enfant à la suite des apprentissages ? Sera-t-il capable de faire seul ses devoirs, de se rendre à l'école ou encore d'apporter tout le matériel nécessaire en classe ? Pour que le plan d'intervention devienne un outil réel de communication, il faut, même si l'exercice peut s'avérer difficile, utiliser des descriptions d'objectifs où tous connaîtront les comportements que devra réaliser l'élève.

Un truc pour faciliter la rédaction de l'objectif est de commencer la phrase en utilisant le prénom de l'élève. Par exemple, « Jacques sera capable de trouver des mots dans son dictionnaire ». La présence d'un sujet entraînant celle d'un verbe, cette stratégie évite de rendre l'objectif trop théorique, oblige à formuler concrètement ce que saura faire l'enfant à la suite de l'apprentissage. Ainsi, un objectif tel que « des phrases incluant un sujet, un verbe et un complément » serait imprécis parce qu'il ne dit pas ce que fera l'enfant. Faut-il qu'il sache prononcer des phrases à trois mots, utiliser les trois entités (sujet, verbe, complément) dans l'ordre, rédiger des phrases ayant cette structure, reconnaître le sujet, le verbe, le complément dans une phrase... ?

Il est à noter ici que certains intervenants, particulièrement au secondaire, préfèrent utiliser le pronom « je » au lieu du prénom de l'enfant, par exemple : « Je serai capable d'arriver à l'école à l'heure. » Pour ces intervenants, cette formulation montre qu'il s'agit du plan de l'enfant et que celui-ci est le premier en cause.

3. Indiquer les objectifs en termes clairs

L'objectif doit être formulé avec un verbe d'action plutôt qu'avec un verbe passe-partout comme savoir et comprendre. Voici quelques exemples de confusion entraînée par ces verbes :

« Marcel comprendra les règlements de l'école. »
(Bien sûr, Marcel les comprend tous ! Mais... il ne les respecte pas.)

« Marie saura la règle du pluriel. »
(Lorsqu'on demande à Marie ce qu'il faut faire avec les noms précédés de « les », elle répond invariablement « mettre un s ». Un seul problème demeure : elle n'indique pas cette marque lorsqu'elle est requise.)

L'Indiana State Department of Education (1987) résume ainsi les caractéristiques des objectifs d'intervention :

1) ils constituent des étapes mesurables entre le présent niveau de réalisation et le but annuel ;

2) ils incluent la description des résultats désirés, les conditions dans lesquelles se présentent les comportements, la liste des critères utilisés pour évaluer le résultat (ces éléments sont traités un peu plus loin dans ce chapitre) ;

3) ils sont écrits sous forme de comportements ;

4) ils décrivent les standards de réussite. Cet organisme précise que les buts autant que les objectifs doivent être rédigés d'une manière positive. Les intervenants indiquent ce que les apprentissages entraîneront comme actions et non pas une liste de comportements que l'enfant ne doit pas manifester. Par exemple, au lieu de « l'enfant ne remettra plus ses travaux en retard », ils écrivent « l'enfant remettra ses travaux selon les échéances prévues ».

Maintenant, voyons comment les buts ont été définis et transformés en objectifs d'intervention dans le cas de Pierre. La figure 3.4 illustre les relations logiques entre les buts et les objectifs d'intervention de Pierre, et on peut constater à la figure 3.6 comment ces buts et ces objectifs d'intervention ont été rédigés dans le formulaire de plan d'intervention.

Note sur le degré de précision des objectifs

Les comportements décrits à l'intérieur des objectifs peuvent être plus ou moins précis. Les objectifs d'intervention peuvent représenter une classe de comportements plus ou moins large ou encore décrire des unités comportementales relativement petites. Par exemple, les comportements suivants peuvent être subdivisés en d'autres comportements, unités fragmentées du comportement global :

Manger : couper sa viande, piquer ses aliments avec une fourchette, porter les aliments à sa bouche, etc.

S'habiller : mettre son chandail, mettre ses bottes, enfiler ses chaussettes, attacher sa ceinture, etc.

Les relations entre le but et les objectifs sont logiques en ce sens qu'il y a des liens de contenu et de continuité entre eux. La figure 3.5 illustre ces relations. Côté, Pilon, Dufour et Tremblay (1989) soulignent l'importance d'adapter les étapes de l'apprentissage aux capacités de la personne.

Figure 3.4
Des objectifs d'intervention découlant des buts : le cas de Pierre

PREMIER BUT:
Améliorer la qualité de l'orthographe et de la syntaxe de Pierre.

PREMIER OBJECTIF:
Pierre utilisera la majuscule au début de chaque phrase.

DEUXIÈME OBJECTIF:
Pierre mettra un point à la fin de chacune de ses phrases.

TROISIÈME OBJECTIF:
Pierre écrira sans faute 75 mots usuels.

QUATRIÈME OBJECTIF:
Pierre, dans une phrase, séparera le sujet du verbe, en laissant un espace entre ces deux mots.

DEUXIÈME BUT:
Améliorer l'écriture de Pierre de façon à la rendre lisible.

UN SEUL OBJECTIF DÉCOULE DE CE BUT:
Pierre formera ses lettres minuscules d'un tracé continu et de manière lisible.

TROISIÈME BUT:
Rendre Pierre capable de maîtriser son anxiété et sa colère dans des situations où il éprouve des difficultés.

UN SEUL OBJECTIF DÉCOULE DE CE BUT:
À la suite d'un échec, Pierre sera capable de s'arrêter, de prendre de grandes respirations et de demander de l'aide au lieu de se fâcher.

Figure 3.5
Les relations entre le but, les objectifs et les sous-objectifs

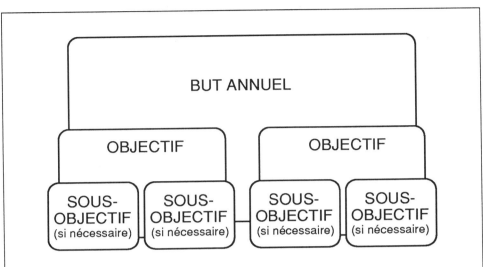

Les écrits sur les objectifs indiquent que ceux-ci peuvent être déterminés selon divers degrés de précision : objectifs généraux, objectifs spécifiques, objectifs intermédiaires, etc. Cependant, la plupart des formulaires de plan d'intervention ne contiennent que des buts annuels et des objectifs spécifiques à court terme. Cette simplification évite une formation trop longue des intervenants sur la nature et la hiérarchisation des objectifs, sans toutefois empêcher l'utilisation au besoin de diverses classes d'objectifs pour mieux saisir la portée globale d'une intervention.

L'évaluation : fixer des critères et des conditions d'atteinte des objectifs

S'il y a lieu, les objectifs sont suivis des conditions dans lesquelles doivent se manifester les comportements et des critères utilisés pour évaluer l'atteinte de ces objectifs. Parfois, les critères sont implicites dans l'énoncé des comportements attendus, et on préfère ne pas rendre la rédaction des objectifs trop fastidieuse. Si, par exemple, on dit que Paul sera capable de mettre son chandail, il n'est pas nécessaire de préciser qu'il doit le faire dans le bon sens et bien passer les manches. Par ailleurs, si Paul prend au-delà de 10 minutes pour enfiler son vêtement, il pourrait être nécessaire de préciser une durée plus courte dans la description du comportement attendu et comme critère de réussite de l'apprentissage de ce comportement.

1. Les critères d'évaluation des comportements

Les critères de réussite servent à l'évaluation des comportements. Ils indiquent le niveau minimal de réussite pour juger de l'atteinte des objectifs et précisent la qualité de l'apprentissage (Mager, 1977). Voici quelques exemples de critères de réussite :
– Avec au moins 90 % ;
– Sans faire d'erreur ;
– 3 problèmes réussis sur 4 ;
– En moins de 10 minutes.

Pour définir les critères de réussite, on se base généralement sur les caractéristiques du comportement. Epps (1983) relève les caractéristiques suivantes : forme, intensité, fréquence, durée, conformité, temps de latence (tableau 3.1). Il est à noter qu'en général on détermine un seul critère de réussite : durée, par exemple.

Tableau 3.1
Caractéristiques des comportements

La forme : Les comportements manifestés peuvent respecter certaines formes. Ainsi, si l'enfant écrit un *a*, cette lettre devra avoir une certaine forme pour être reconnaissable. Si l'enfant exécute des mouvements en éducation physique, ils devront respecter une certaine forme.

L'intensité ou la force : Les comportements peuvent aussi avoir une certaine intensité. On peut en classe parler plus ou moins fort, certains mouvements peuvent être exécutés avec plus ou moins de vigueur. Ainsi, un élève peut peser plus ou moins fort sur son crayon. S'il pèse très fort, le trait sera très noir et pourra même passer au travers de sa feuille ; s'il n'y met pas assez de force, le trait pourra être trop pâle pour être lisible. La force peut être aussi un élément important dans l'exécution de plusieurs mouvements physiques.

La fréquence : Cette caractéristique réfère au nombre de fois que se produit une réponse dans un laps de temps donné. Par exemple, l'élève peut se lever inutilement en classe, quatre, cinq ou six fois au cours d'une même période.

La durée : La durée renvoie au temps pris pour exécuter une réponse. Ainsi, Sylvain peut écouter la télévision deux heures chaque soir.

La conformité : Pour être correctes, certaines réponses doivent non seulement être émises mais aussi respecter certains critères. Non seulement les élèves en classe doivent-ils résoudre des problèmes de mathématiques, encore doivent-ils ne pas commettre d'erreur de calcul. De même, les verbes doivent être accordés avec leur sujet.

Le temps de latence : Le temps de latence réfère au temps qui s'écoule entre un stimulus et la réponse qu'il doit déclencher. Ainsi, si je dis à Lorraine de ranger ses jouets et qu'elle le fasse au bout d'une demi-heure, le temps de latence sera d'une demi-heure.

On utilise généralement une ou parfois deux caractéristiques pour préciser les critères de réussite. Par exemple : Geneviève étudiera au moins une heure chaque jour d'école (critère de durée) ; Lucie parlera suffisamment fort pour être entendue (critère d'intensité), etc.

2. Les conditions de réussite des apprentissages

Il peut être aussi utile (mais pas toujours nécessaire) de préciser les conditions dans lesquelles se produira le comportement. Ces conditions sont en quelque sorte les circonstances où on vérifiera si l'élève a bien atteint l'objectif. Par exemple, il est différent de courir un kilomètre dans un gymnase bien climatisé et de le courir sur un terrain montagneux par une chaude journée d'été ; de rédiger un texte à l'aide d'un dictionnaire et de le rédiger sans cet ouvrage ; de calculer des additions à l'aide de sa calculatrice et de le faire par simple calcul mental.

Il arrive aussi que certains comportements se produisent uniquement dans des circonstances bien précises. Par exemple, Yves écoute les consignes du titulaire de la classe, mais ne respecte pas celles des enseignants de musique et d'éducation physique. Il peut alors être nécessaire de préciser les conditions de réussite.

Voici quelques exemples de conditions :

Jacques sera capable de réussir des additions à deux chiffres, sans retenue, *avec l'aide de sa calculatrice*.

Pauline sera capable de placer des majuscules *dans un texte au début* de chacune *des phrases*.

Maintenant, pour Pierre, les deux premières colonnes de la figure 3.9 montre comment les critères de réussite et les conditions ont été associés aux objectifs d'intervention.

Les moyens, les stratégies et les ressources

Le plan d'intervention précise les moyens, les stratégies et les ressources qui aideront l'élève à atteindre des objectifs. Ces éléments peuvent être de divers ordres : stratégies d'apprentissage particulières, méthodes pédagogiques, aide d'un intervenant, etc.

Exemples :
– du matériel didactique particulier ;
– une aide précise d'un intervenant : exemple, le soutien d'un psycho-éducateur ;

– un moyen particulier d'intervention : exemple, un contrat behavioral (c'est une entente écrite entre un élève et un intervenant, à propos de comportements à modifier) ;

– des appareils : par exemple, une calculatrice ou un magnétophone ;

– une méthode particulière d'apprentissage ; etc.

Une erreur courante dans la rédaction des plans d'intervention est de confondre les moyens d'apprentissage avec les comportements. Ainsi, au lieu d'indiquer un objectif d'intervention pour l'élève, on indiquera dans le plan « Récupération trois fois par semaine ». Cet élément n'indique nullement ce que l'élève devra pouvoir réussir après les apprentissages.

Les intervenants

Il est utile de préciser dans le plan d'intervention personnalisé qui seront les intervenants et les responsables de l'intervention. Les intervenants sont les personnes qui faciliteront par leurs actions l'atteinte des divers objectifs ; ce peut être les parents, l'enfant lui-même, le titulaire, d'autres élèves, etc. Les intervenants peuvent aussi être les personnes chargées d'évaluer les résultats et de s'assurer que les intervenants disposent bien de tout le matériel nécessaire. Par exemple, l'ortho-pédagogue pourrait être responsable d'un programme de tutorat entre élèves et veiller régulièrement à ce que tout se déroule bien.

Les échéances

Les échéances sous forme de dates doivent être précisées dans le plan en ce qui concerne le début et l'évaluation des résultats de l'intervention. Dans ce calendrier, on pourrait ajouter diverses dates utiles, comme le début d'un service ou d'une intervention particulière, le début d'un programme de tutorat ou les dates de rencontres de l'enfant avec un spécialiste. Voici maintenant pour Pierre comment le tout est inscrit dans son plan d'intervention personnalisé (figure 3.6).

S'il y a lieu, le plan d'intervention se termine par des recommandations particulières, des précisions sur les modalités de scolarisation de l'élève et les signatures des personnes concernées. À la toute fin, on peut réserver un espace pour les dates prochaines d'évaluation du plan et de son application générale. Des espaces sont également réservés pour une appréciation globale. Dans le cas de Pierre, la figure 3.7 montre ce qui a été indiqué.

Figure 3.6
Planification globale des objectifs d'intervention

LES BUTS DU PLAN D'INTERVENTION

1- Le plan d'intervention vise à améliorer la qualité de l'orthographe et de la syntaxe de Pierre;

2- Le plan d'intervention vise à améliorer l'écriture de Pierre de façon à la rendre lisible;

3- Le plan d'intervention vise à rendre Pierre capable de maîtriser son anxiété et sa colère dans des situations où il éprouve des difficultés.

4-

LE PLAN D'INTERVENTION

LES OBJECTIFS D'INTERVENTION		Moyens, stratégies, ressources	Intervenants	Échéances	Résultats obtenus, commentaires
Les comportements à réaliser à la suite des apprentissages	Évaluation (s'il y a lieu, critères et conditions de réussite)				
Objectifs découlant du premier but:					
Pierre utilisera la majuscule au début de chaque phrase.	– Dans ses textes (condition) – Au moins 8 fois sur 10 (critère)	Observation de textes. Retour avec l'élève sur ses productions.	Titulaire	Du 1er décembre au 30 janvier	
Pierre mettra un point à la fin de chacune de ses phrases.	– Dans ses textes (condition) – Au moins 8 fois sur 10 (critère)	Observation de textes. Rappels. Objectivation sur exercices d'écriture.	Titulaire	Du 1er décembre au 30 janvier	
Pierre écrira sans faute 75 mots usuels.	– Dans ses textes (condition) – Réussite de 60 mots sur 75 tirés des échelons 1 à 8 de l'échelle Dubois-Buyse (critère)	Exercices à domicile. Tutorat pour l'orthographe, séances quotidiennes de 10 minutes.	Parents Responsable du programme de tutorat: l'orthopédagogue Aide d'un tuteur de sixième année	Du 1er décembre au 30 janvier Du 15 janvier au 1er mars	
Pierre, dans une phrase, séparera le sujet du verbe, en laissant un espace entre ces deux mots.	– En situation d'écriture spontanée (condition) – Au moins 8 fois sur 10 (critère)	Retour sur ses textes, objectivation.	Titulaire	Du 1er décembre au 30 janvier	
Objectifs découlant du deuxième but:					
Pierre formera ses lettres minuscules d'un tracé continu et de manière lisible.	– Lettre de grosseur normale (critère) – Tracé continu (critère)	Exercices d'écriture à l'aide d'un cahier de calligraphie.	Orthopédagogue	Du 15 janvier au 1er mars	
Objectifs découlant du troisième but:					
À la suite d'un échec, Pierre sera capable de s'arrêter, de prendre de grandes respirations et de demander de l'aide au lieu de se fâcher.	– Chaque fois (critère) – La condition est déjà incluse dans l'objectif: à la suite d'un échec	Techniques simples de relaxation.	Titulaire Parents	Du 1er décembre au 30 janvier	

Figure 3.7
Fin du plan

Recommandations particulières:

Lorsque Pierre doit être puni, éviter de l'astreindre à recopier des textes afin qu'il n'associe pas l'écriture à une situation désagréable. Trouver d'autres moyens.

Regroupement fréquenté (classe ordinaire, classe-ressource, etc.) et pourcentage du temps dans une classe ordinaire:

La classe ordinaire à plein temps.

MISE EN APPLICATION

Période de mise en application du plan: *du 1er décembre au 1er mars*

Date prévue pour l'évaluation du plan: *le 15 mars*

Recommandations à la suite de l'évaluation du plan:

Objectifs à poursuivre:

Nouveaux objectifs à déterminer:

Fin du plan:

SIGNATURES

Parents   *M. Mme Francine Pelletier*   Autres participants   *Annette Roy*

Élève (si possible)   *Pierre*

Direction de l'école   *Jocelyne Leblanc*

Enseignant   *Mme Francine Roy*

3.4 Autres formulaires de plan d'intervention

Les milieux scolaires créent progressivement divers formulaires de plan d'intervention personnalisé. Afin d'illustrer les variations que l'on peut trouver d'un milieu à l'autre, nous présentons à la fin de ce chapitre trois autres modèles de formulaires, dont deux québécois (Bouchard, 1985 ; CECM, 1990) et un américain (Slavin, 1988).

RÉSUMÉ

Le plan d'intervention suppose l'évaluation des besoins de l'élève, de ses forces et de ses faiblesses. Le plan décrit d'abord les buts fixés, soit les grandes orientations générales. Puis, il précise les comportements qui suivront les apprentissages : ce sont les objectifs. Ces comportements peuvent être précisés à l'aide de critères et de conditions de réussite. Le plan décrit aussi les moyens, les stratégies et les ressources qui seront utilisés, détermine les intervenants et fixe les échéances de travail. Le tableau 3.2 présente une synthèse de la terminologie utilisée.

TABLEAU 3.2
Terminologie utilisée pour les plans d'intervention

Élément	Définition	Question	Phrase clé	Exemples
But	Orientation annuelle définie en fonction de l'élève.	Pour atteindre quoi ?	Le plan d'intervention vise à...	Améliorer la qualité de l'orthographe.
Objectifs d'intervention	Apprentissages que l'élève réalisera, sous forme de comportements, déterminés en fonction des performances actuelles.	Pour obtenir quel comportement à court terme ?	Être capable de...	Compter jusqu'à dix ; Mettre son chandail ; Arriver à l'heure.
Critères de réussite	Normes de qualité et de quantité liées aux comportements qui seront appris.	Quelle est la performance acceptable pour décider que l'objectif est atteint ?	Avec quel seuil de réussite (fréquence, durée, conformité, etc.) ?	20 problèmes sur 25 sans erreur ; Au moins une heure ; Chaque fois.

Élément	Définition	Question	Phrase clé	Exemples
Conditions de réussite	Circonstances, contexte où on jugera de l'atteinte des objectifs.	Quand ? Où ?	Selon quelles modalités...	Dans un test ; À la maison et à l'école ; En groupe.
Moyens	Ce qui aide l'élève ou ce qui sert à réaliser les apprentissages.	Avec l'aide de qui ou de quoi ?	Ressources, stratégies.	Grâce à un programme de tutorat ; Matériel didactique ; Rencontres avec un spécialiste.
Intervenant	Personne qui aide l'élève.	Qui ?	Personne aidante.	Titulaire ; Tuteur ; Parent.
Échéance	Calendrier d'intervention et d'évaluation.	Quand ?	À la date du...	Dates du début de l'intervention ; Date de l'évaluation.
Résultats obtenus	Conséquences des apprentissages.	A donné quoi ?	A eu pour effet...	L'élève a atteint l'objectif ; L'enfant arrive 4 matins sur 5 à l'heure.

MOTS CLÉS

- ✓ Besoin
- ✓ Force
- ✓ Faiblesse
- ✓ Objectif
- ✓ Critère
- ✓ Intervenant
- ✓ Résultat obtenu
- ✓ But
- ✓ Condition
- ✓ Moyen
- ✓ Échéance

QUESTIONS

1. Donnez deux exemples de forces et de faiblesses.

2. Donnez deux exemples de manifestations de besoins chez vos élèves.

3. À partir de votre expérience, indiquez deux buts d'un plan d'intervention.

4. Parmi les termes suivants, lesquels représentent des comportements et lesquels représentent des jugements ?
   – Jacques est agressif.
   – Jacques range sa chambre.
   – Pierre écrit son nom.
   – Jacques ne comprend pas.
   – Jacques écrit une majuscule au début de Marie.
   – Jacques est constamment dans l'erreur.

5. En fonction de votre expérience, indiquez deux buts d'un plan d'intervention et deux objectifs découlant logiquement de ces buts.

6. Parmi les points suivants, lesquels représentent des buts d'un plan d'intervention et lesquels représentent des objectifs ?
   – Éric améliorera sa communication orale et écrite.
   – Édouard sera capable d'utiliser correctement la ponctuation dans des textes écrits.
   – Jacques deviendra plus autonome et participera à l'ensemble des activités de l'école.
   – Pauline s'intégrera à la vie sociale de l'école.
   – Évelyne sera capable d'effectuer correctement 9 fois sur 10 les additions à 2 chiffres sans retenue.

7. Énumérez une série de 10 comportements et, pour chacun d'entre eux, indiquez une caractéristique qui permettrait d'en fixer des critères de réussite.
   Exemple : Écouter la télévision (comportement) une heure (critère basé sur la durée).

8. À partir d'une situation problématique que vous imaginerez (par exemple, un enfant qui arrive toujours 10 minutes en retard et oublie d'apporter son matériel scolaire), déterminez un but d'un programme d'intervention et deux objectifs avec critères et conditions de réussite. Complétez ce travail en précisant des moyens d'intervention, les intervenants et des échéances de travail. Structurez ce travail dans la troisième section du formulaire de plan d'intervention personnalisé que vous trouverez à la fin du livre (annexe 2).

LECTURES SUGGÉRÉES

Sur la définition des objectifs d'apprentissage :

Mager, R.F. (1977). *Comment définir des objectifs pédagogiques*. Paris : Bordas.

Fontaine, F. (1989). *Les objectifs d'apprentissage*. Montréal : Service pédagogique, Université de Montréal.

Sur la planification et la mesure des objectifs d'apprentissage dans les plans d'intervention :

Côté, R., Pilon, W., Dufour, C., Tremblay, M. (1989). *Guide d'élaboration des plans de services et d'interventions*. Québec : Groupe de recherche et d'étude en déficience du développement inc.

ANNEXE 3.1

Modèles québécois de formulaire de plan d'intervention personnalisé

1er FORMULAIRE :   La Commission des écoles catholiques de Montréal.
Reproduit avec la permission de la CECM.

2e FORMULAIRE :   Bouchard (1985), p. 28-29.
Reproduit avec la permission du Conseil scolaire
de l'île de Montréal.

PLAN D'INTERVENTION PERSONNALISÉ
RENSEIGNEMENTS GÉNÉRIQUES

LA COMMISSION
DES ÉCOLES CATHOLIQUES
DE MONTRÉAL

NOM DE L'ÉLÈVE

CODE PERMANENT

NOM DE L'ÉCOLE

CLASSEMENT

PLAN D'INTERVENTION ÉTABLI AVEC L'AIDE DE

FONCTIONS

CHAMPS D'INTERVENTION

☐ VOLET APPRENTISSAGES SCOLAIRES

☐ VOLET COMPORTEMENTAL

☐ AUTRE-S VOLET-S:

COORDONNATEUR-TRICE DU P.I.P.

DATE DE RÉDACTION			DATE PRÉVUE POUR L'ÉVALUATION		
AN	MOIS	JOUR	AN	MOIS	JOUR

SIGNATURE DE L'ÉLÈVE

SIGNATURE DU-DES PARENT-S OU DU
TITULAIRE DE L'AUTORITÉ PARENTALE ☐ ☐

SIGNATURE DE LA DIRECTION

AN	MOIS	JOUR

N081 (90-06)

DOSSIER D'AIDE PARTICULIÈRE DE L'ÉLÈVE

LA COMMISSION
DES ÉCOLES CATHOLIQUES
DE MONTRÉAL

PLAN D'INTERVENTION PERSONNALISÉ
CONSIGNATION DES INTERVENTIONS

NOM DE L'ÉLÈVE

VOLET

OBJECTIF GÉNÉRAL

OBJECTIFS SPÉCIFIQUES	MOYENS UTILISÉS	RESPONSABLES	ÉCHÉANCES	RÉSULTATS OBTENUS

SOMMAIRE

POURSUITE DES OBJECTIFS ☐   NOUVEAUX OBJECTIFS ☐   FIN DU PLAN D'INTERVENTION PERSONNALISÉ ☐

DOSSIER D'AIDE PARTICULIÈRE DE L'ÉLÈVE

N082 (80-06)

PLAN D'INTERVENTION PERSONNALISÉ

Nom de l'école : _____

Nom de l'élève : _____   Prénom(s) : _____

Groupe-classe : _____   Date de naissance : _____

1- PARTENAIRES D'INTERVENTION :

Nom et fonction   Rôle auprès de l'enfant

2- ÉCHÉANCES DE L'INTERVENTION :

1. Date de la première rencontre-étude : _____

2. Période de mise en application du plan : de _____ à _____

3- NATURE DE L'INTERVENTION :

orthopédagogie ☐   psychologie ☐   autre (spécifier) ☐

orthophonie ☐   service social ☐

4- LE PLAN D'INTERVENTION PROPREMENT DIT (au verso)

5- ACTIVITÉS ET POURCENTAGE D'INTÉGRATION EN CLASSE NORMALE

- NIVEAU DE SERVICE RECOMMANDÉ

6- COMMUNICATION AUX PARENTS

Fréquence : _____   Par qui ? _____

7- SIGNATURES DES PARTENAIRES AU PLAN :

Personne(s)-ressource(s) : _____

_____   Enseignant

_____   Responsable de l'enfant (parent ou tuteur)

_____   Direction

Matière ou domaine	Buts annuels	Situation désirée (objectifs visés)	Moment(s) d'inter- vention	Qui intervient ?	Outil(s) nécessaire(s)	Évaluation (modalités, critères)

ANNEXE 3.2

Modèle américain de formulaire de plan d'intervention personnalisé

Tiré et traduit de Slavin (1988), p. 488-490. Reproduit avec la permission de Prentice-Hall.

PROGRAMME D'ÉDUCATION INDIVIDUALISÉE

Année scolaire : 199____ –199____

INFORMATION CONFIDENTIELLE

Nom : _____

École : _____   Date de naissance : _____

Difficulté : _____   Classe : _____

Date de la rencontre pour le PIP : _____   Date de convocation du parent : _____

Date du début des services et durée prévue : _____   Date d'admissibilité : _____

Le plan doit être revu avant le : _____

PROGRAMME ÉDUCATIF OU PROFESSIONNEL

Services d'éducation spéciale			Services d'éducation ordinaire		
Nombre total	Nombre de fois par semaine	Nombre d'heures par jour	Nombre total	Nombre de fois par semaine	Nombre d'heures par jour
_____	_____	_____	_____	_____	_____

SERVICES SUPPLÉMENTAIRES

Type et fréquence		Éducation physique		
		Adapté		Ordinaire
		Transport		
		Adapté		Ordinaire

NIVEAU INITIAL D'APPRENTISSAGE

Participants à l'élaboration du PIP	
Nom	Fonction

PLAN D'ÉDUCATION INDIVIDUALISÉ

Année scolaire 199_____ –199_____

But annuel : L'élève _____ sera capable de _____

RAPPORTS SUR LES PROGRÈS DE L'ÉLÈVE

Objectifs à court terme	Étape	Commentaires
Objectif : Niveau de départ : Début du travail :	1 2 3 4	
Objectif : Niveau de départ : Début du travail :	1 2 3 4	
Objectif : Niveau de départ : Début du travail :	1 2 3 4	
Objectif : Niveau de départ : Début du travail :	1 2 3 4	

Objectif :	1	
Niveau de départ :	2	
Début du travail :	3	
	4	
Objectif :	1	
Niveau de départ :	2	
Début du travail :	3	
	4	
Objectif :	1	
Niveau de départ :	2	
Début du travail :	3	
	4	
Objectif :	1	
Niveau de départ :	2	
Début du travail :	3	
	4	

Procédures d'évaluation : Les buts annuels seront évalués lors de la révision annuelle. Les objectifs à court terme seront contrôlés à chaque période de neuf semaines, au moment de la remise des notes. Le niveau initial d'apprentissage indique le niveau d'apprentissage de l'élève avant l'intervention.

Légende

Aucun signe : Objectif non entrepris
P : Progrès dans l'objectif
D : Difficulté de progression dans l'objectif (les commentaires devraient préciser cette difficulté)
M : Objectif maîtrisé
M/R : Objectif maîtrisé mais qui demande révision pour être maintenu

4 copies de ce document

Blanche : Dossier confidentiel
Jaune : Rapport du progrès au parent
Rose : Copie de travail de l'enseignant
Or : Copie originale pour le parent

CHAPITRE 4

Les conditions de mise en place et de réalisation des plans d'intervention personnalisés

CONTENU DU CHAPITRE

OBJECTIFS

À la fin de ce chapitre, vous devriez être capable :

❏ de décrire les principales conditions qui facilitent la mise en place des plans d'intervention personnalisés ;

❏ de décrire les principales phases de la recherche sur les plans d'intervention personnalisés ;

❏ d'indiquer pourquoi il est nécessaire d'établir des priorités dans la définition des buts et des objectifs d'intervention ;

❏ de décrire les aspects pratiques liés à la planification des réunions où sont élaborés les plans d'intervention personnalisés ;

❏ de décrire divers moyens concrets qui facilitent la participation des parents et de l'enfant dans l'élaboration des plans d'intervention personnalisés.

4.1 Introduction

Au cours des quinze dernières années, particulièrement aux États-Unis, les plans d'intervention et leurs modalités de réalisation ont été l'objet de diverses publications. À partir d'une revue exhaustive de la documentation sur la question, Smith (1990) regroupe les écrits et les publications sur le plan d'intervention en fonction de trois périodes successives : a) une première phase normative centrée sur la description des normes d'élaboration et de mise en place des plans d'intervention ; b) une deuxième phase analytique axée sur l'étude des contenus des plans d'intervention, sur l'analyse des perceptions des enseignants et sur l'étude de la participation des parents ; c) une troisième phase technologique centrée sur l'usage de l'ordinateur pour faciliter la rédaction des plans. Tour à tour, nous examinerons sommairement chacune de ces phases.

Au cours de la phase normative, les auteurs mettent l'accent sur l'esprit de la loi et les avantages du plan d'intervention personnalisé pour l'élève, et décrivent les composantes de ce plan. Les chercheurs soulignent divers points nuisant à la mise en place des plans d'intervention : manque de formation des intervenants, quantité de documents à rédiger parfois uniquement pour la forme, etc. (Smith, 1990).

Dès 1976, Rinaldi (*in* Smith, 1990) indique qu'il faut d'abord perfectionner le personnel et faire attention de ne pas remplir des formulaires uniquement pour répondre à des exigences administratives.

La deuxième phase, la phase analytique, permet de procéder à l'analyse des contenus de plans d'intervention personnalisés : qualité de la définition des objectifs, liens entre les objectifs et les évaluations qui les ont précédés, etc. (Schenck et Levy, 1979 ; Schenck, 1980). Morgan (1981, *in* Weisenfeld, 1986) indique que trois éléments permettent d'analyser et de déterminer la qualité d'un plan d'intervention personnalisé : les types d'instruments et les méthodes utilisés pour déterminer le niveau d'apprentissage de l'élève, la spécificité des objectifs à court terme et les possibilités d'utiliser le plan d'intervention pour la planification et les interventions quotidiennes de l'enseignant.

Toujours au cours de la phase analytique, des auteurs (voir Smith, 1990) soulignent l'importance d'établir des relations logiques entre les besoins de l'enfant et les services offerts. Dans cette même phase, les perceptions des enseignants sont évaluées. Certains auteurs dénoncent le manque de formation des intervenants, le manque de ressources, de relance et de soutien administratif. Bien que les enseignants croient que le plan d'intervention leur apporte une meilleure connaissance de l'enfant (Dudley-Marling, 1985), plusieurs reprochent le travail supplémentaire associé à la rédaction des plans d'intervention personnalisés (Geraldi, Grohe, Benedict et Coolidge, 1984). D'autres mentionnent que le plan n'est pas pour eux un outil de travail auquel ils se réfèrent dans l'intervention quotidienne (Dudley-Marling, 1985). Par ailleurs, les variables susceptibles d'influencer la participation des spécialistes sont mises en évidence : les horaires, le temps, la crainte des réactions des parents, la peur de diverger d'opinions entre eux au cours des réunions, etc. (Smith, 1990).

Au cours de la troisième phase, les administrateurs étudient la possibilité de recourir aux ordinateurs pour la rédaction des plans d'intervention afin d'alléger cette tâche. L'utilisation de l'ordinateur présente certains avantages dont la rapidité d'exécution. Étant donné que les enseignants craignent le surplus de travail entraîné par la rédaction des plans d'intervention, l'utilisation de l'ordinateur pourrait éventuellement susciter chez eux des attitudes plus favorables à l'égard de cette tâche. Mais le recours à l'informatique risque-t-il d'éloigner le plan d'intervention d'une véritable personnalisation ? Smith (1990) souligne les paradoxes d'une telle utilisation :

> *The IEP, as managed by computers, would now be generated by technicians, using formulas and following rules, rather than using the intended individualized or personnalized problem solving to provide an appropriate education* (p. 11).

À partir de sa revue des écrits sur le sujet, Smith (1990) recommande plusieurs améliorations pour la mise en place des plans d'intervention : des formulaires de plans d'intervention bien articulés, un perfectionnement à la fois théorique et pratique des enseignants, une meilleure coordination des intervenants et un plus grand engagement des parents.

Le succès des plans d'intervention dépend donc d'une foule de conditions. Il ne suffit pas d'imposer un règlement, il faut aussi soutenir les efforts des intervenants et favoriser diverses conditions de base. Les pratiques en milieu scolaire révèlent d'ailleurs que plusieurs difficultés sont reliées à la mise en place et à la réalisation des plans d'intervention : craintes des intervenants d'être évalués, formation insuffisante des intervenants, absence de consensus entre eux... Les enseignants en particulier craignent de voir le temps consacré à l'intervention réduit par celui consacré à la rédaction des plans.

Sans le respect de certaines conditions de base, la mise en place des plans d'intervention peut se voir compromise (Geraldi, Grohe, Benedict et Coolidge, 1984). Au cours des pages suivantes, nous examinerons quelques-unes de ces conditions : la qualité de l'évaluation des besoins de l'enfant, la sélection des besoins, des buts et des objectifs prioritaires, la structure et l'animation des réunions où les intervenants élaborent le plan d'intervention, la participation des parents et de l'enfant et, finalement, l'importance du suivi. À la fin de ce chapitre, on présente une entrevue réalisée avec un conseiller pédagogique, André Bourassa, de la CECM, qui utilise des plans d'intervention depuis quelques années.

4.2   La qualité de l'évaluation

Nous avons déjà parlé au deuxième chapitre de l'importance de l'évaluation. La qualité de l'évaluation est l'une des conditions préalables à l'élaboration du plan d'intervention. Il est important d'établir des liens entre l'évaluation, les motifs de référence et les tâches scolaires (Deno et Mirkin, 1980). Les niveaux d'apprentissage de l'élève doivent être définis, ainsi que ses forces (Kurtzig, 1986) : Quels sont, par exemple, ses modes d'apprentissage préférés ? Kurtzig réaffirme qu'il faut voir l'enfant comme ayant à la fois des forces et des faiblesses, et non uniquement des déficits.

Deno, Mirkin et Wesson (1984) ont conçu un système de mesures très précises destiné à noter le rendement scolaire de l'élève et à juger de ses progrès à l'intérieur des plans d'intervention personnalisés. Ces auteurs soulignent l'importance des caractéristiques suivantes dans le processus d'évaluation : la validité des mesures, la sensibilité des mesures aux changements, la facilité et la rapidité de l'évaluation, la fréquence possible d'application. Ces évaluations ne doivent pas se traduire par des dépenses trop élevées et peuvent être utilisées sans perturber l'enseignement. De plus, les intervenants sont capables de s'en servir rapidement, c'est-à-dire sans qu'une longue et fastidieuse formation soit nécessaire.

Plusieurs auteurs (Fiedler et Knight, 1986 ; Schenck et Levy, 1979) soulignent que des difficultés majeures dans la mise en place des plans d'intervention personnalisés sont reliées à l'absence de liens directs entre le diagnostic et l'intervention : objectifs formulés sans tenir compte du niveau de départ réel de l'enfant, objectifs définis sans tenir compte réellement des évaluations, etc. Smith (1980) note que plusieurs mesures psychométriques utilisées couramment n'apportent que peu d'informations pour la planification de l'enseignement, car elles n'estiment pas le rendement de l'enfant face au programme d'enseignement. Schenck et Levy (1979) soulignent qu'une partie du problème serait liée à des lacunes dans la communication entre les spécialistes et les enseignants, et à un manque de formation qui se traduit par une difficulté à associer le diagnostic avec l'intervention. La communication entre les divers intervenants semble donc une condition de base pour s'assurer de l'utilité de l'évaluation.

Gilliam et Coleman (1981) indiquent que les parents sont souvent absents du processus d'évaluation. Ces auteurs suggèrent de faire participer les parents directement à l'identification des besoins de leur enfant. La formule d'aide à l'élève du ministère de l'Éducation (1984) présente des questionnaires qui aident les parents dans leur collecte de données concernant les forces et les difficultés de leur enfant. Il devient aussi important dans le processus d'évaluation de connaître les perceptions de l'enfant lui-même sur ses forces et ses difficultés et les éléments qu'il aimerait travailler. Quel est également l'intérêt de l'enfant par rapport à diverses formes d'intervention ?

La qualité de l'évaluation est donc une condition de base à la mise en place des plans d'intervention personnalisés. Cette évaluation doit être la plus complète possible, toucher à la fois les forces et les faiblesses de l'enfant, et faire participer l'élève, ses parents et les intervenants concernés.

4.3   La sélection des besoins, des buts et des objectifs prioritaires

Le plan d'intervention est conçu pour être utilisé pendant une période de temps limitée, trois mois par exemple. Cette règle implique que la nature et le nombre des objectifs sont valables pour la période suivant immédiatement l'élaboration du plan d'intervention. Le plan doit donc être applicable de façon réaliste dans le quotidien.

Après avoir analysé les plans d'intervention de 41 enfants trisomiques scolarisés en classe spéciale, Weisenfeld (1986) soulève diverses questions quant à l'élaboration de ces plans. Il constate d'abord une longueur moyenne de 9,3 pages par plan avec une moyenne de 6 personnes participant à son élaboration. Son analyse révèle ensuite que les plans contiennent en moyenne 41 objectifs à court terme, et ce pour chaque enfant. Enfin, postulant un ratio maximum de 12 enfants par enseignant, l'auteur se demande comment, concrètement, un enseignant dans une classe spéciale peut avoir la responsabilité et la gestion de 492 objectifs (12 enfants × 41 objectifs). Weisenfeld suggère donc de limiter la rédaction des objectifs aux priorités éducatives. Il propose une limite de 10 objectifs clairement définis et possibles à atteindre. Cette stratégie forcerait ainsi les éducateurs à déterminer des besoins réellement prioritaires. Bien entendu, toujours selon Weisenfeld, cette façon de procéder ne signifie pas que l'intervenant se limitera à travailler seulement ces apprentissages avec l'enfant, ce dernier continuant à suivre le programme de la classe.

Une des qualités premières du plan d'intervention est qu'il soit concrètement applicable et facile à superviser. Il ne faut pas oublier que le plan est rédigé pour la période suivant immédiatement son élaboration : quelques semaines ou quelques mois, selon le cas. Il ne s'agit pas d'indiquer tout ce qui peut s'apprendre en classe, mais bien de fixer des objectifs prioritaires d'intervention pour un enfant.

4.4. La structure et l'animation des réunions pour élaborer les plans d'intervention personnalisés

Le plan d'intervention est élaboré au cours d'une réunion à laquelle assisteront les parents, l'élève (s'il en est capable), les intervenants concernés et la direction de l'école. Cette réunion peut être vue comme une occasion privilégiée d'échanger de l'information et de planifier une action concertée pour l'école et la maison (Goldstein, Strickland, Turnbull et Curry, 1980).

4.4.1 Les recherches sur la structure et la participation dans les réunions

Compte tenu de l'importance de ces réunions, il n'est pas surprenant de constater qu'elles ont fait l'objet de diverses recherches (Vacc, Vallecorsa, Parker, Bonner, Lester, Richardson et Yates, 1985 ; Vaughn, Bos, Harrell et Lasky, 1988 ; Goldstein, Strickland, Turnbull et Curry, 1980 ; Gilliam et Coleman, 1981). En général, les méthodologies utilisées dans ces études sont basées sur l'observation ou sur l'évaluation des perceptions à l'aide de questionnaires et d'entrevues. Ainsi, Vaughn, Bos, Harrell et Lasky (1988) ont observé le déroulement d'une série de 26 réunions où des plans d'intervention sont élaborés pour des enfants en difficulté d'apprentissage. Selon leurs observations, une moyenne de 6,4 participants (entre 3 et 10) assistent à ces réunions dont la durée moyenne est de 42 minutes (entre 20 et 110 minutes), et 14,8 % des interventions sont faites par les parents.

Dans une étude sur le même sujet, Goldstein, Strickland, Turnbull et Curry (1980) observent que l'enseignant-ressource est la personne qui s'exprime le plus dans ce genre de réunion, et que les intervenants ont tendance à soumettre un plan déjà rédigé aux parents ; ces derniers sont les personnes à qui l'on s'adresse le plus. Toutes ces informations amènent ces auteurs à discuter du type de participation qu'on demande aux parents dans l'élaboration et la mise en place des plans d'intervention personnalisés. Nous approfondirons plus loin cette question de la participation parentale.

4.4.2 Les aspects pratiques et l'animation des réunions

Les étapes préalables à la rédaction du plan d'intervention personnalisé

Lorsqu'on élabore le premier plan d'intervention personnalisé d'un enfant, il est important de se rappeler que ses parents peuvent vivre plusieurs émotions. Selon MacMillan (1988), les parents ressentent souvent de la peine et de la douleur lorsqu'ils apprennent les difficultés de leur enfant. Il est donc très important d'entrer en relation avec eux avant la rencontre sur le plan d'intervention personnalisé. À moins d'exception, les parents devraient déjà avoir eu quelques contacts avec l'école au sujet de leur enfant avant qu'il ne soit nécessaire de recourir à un plan. Lorsque les spécialistes ont rédigé des rapports-synthèses sur l'enfant, il est important que les parents puissent en prendre connaissance avant la réunion en ayant tout le temps nécessaire.

La convocation initiale et la préparation des réunions

Dans les écoles, c'est le plus souvent la direction qui convoque les parents, l'élève, et les autres participants au plan d'intervention. La direction s'assure de la disponibilité des diverses personnes en tenant compte des horaires de chacun, particulièrement de ceux des parents. Réunir plusieurs intervenants autour d'une même table suppose de nombreux appels téléphoniques et ajustements d'horaire, surtout si les parents travaillent et si les spécialistes interviennent dans plusieurs écoles.

Lorsque la direction convoque les parents, elle peut leur demander de participer à l'évaluation en apportant diverses informations : points forts de l'enfant, difficultés observées, etc. Schwartz Green (1988) suggère les éléments suivants pour inciter une participation plus active des parents : les encourager à apporter une liste de questions pour mieux intervenir au cours de la réunion, les inviter une semaine ou deux à l'avance à penser aux objectifs à court et à long terme qu'ils aimeraient que leur enfant atteigne. L'auteure indique aussi que les parents peuvent noter des informations sur le comportement de leur enfant : comportements dans les devoirs, dans les activités de socialisation, éléments qui semblent motiver leur enfant à la maison. La participation des parents à la réunion étant à valoriser, la convocation par téléphone devrait être positive. On indique aux parents que si cette réunion sert à trouver ensemble des moyens pour aider l'enfant à surmonter ses difficultés, on y fera aussi le point sur ses forces, ses goûts et ce qu'il réussit.

La direction informe les parents du nom et des fonctions des personnes qui seront présentes à la réunion et peut aussi leur demander s'ils s'opposent à la présence de ces personnes. Il faut aussi considérer le nombre d'intervenants : un trop grand nombre peut gêner ou intimider certains parents. La direction offre également aux parents d'inviter, s'ils le souhaitent, d'autres personnes concernées par le développement de leur enfant : médecin, psychologue, proche parent, gardienne, etc. Elle leur souligne qu'ils peuvent obtenir plus d'informations avant la réunion. Souvent une information supplémentaire ou plus de précisions sur le déroulement de la réunion aident à réduire l'anxiété que peut susciter chez plusieurs parents et chez l'enfant le fait de discuter des difficultés de celui-ci en réunion.

Par la suite, le responsable de la réunion s'assure que tous les intervenants sont préparés à la rencontre et que les évaluations nécessaires sont disponibles. Le jour de la réunion, on dispose d'une salle adéquate où les participants ne seront pas dérangés ou interrompus dans leur travail.

L'attente des parents avant la réunion

Selon Gress et Carroll (1985), il est important que les parents sachent que leur coopération est nécessaire et bienvenue ; l'accueil qu'on leur fait à l'école devrait refléter cette importance. Par exemple, s'ils ont à attendre quelques minutes, ils devraient pouvoir le faire confortablement : on peut les inviter à enlever leur manteau, leur offrir un café ou un thé et peut-être mettre à leur disposition de la lecture. Il peut être préférable que les parents attendent ailleurs que dans le vestibule de l'école, cet endroit étant généralement très passant et souvent inconfortable.

Une réunion en plusieurs étapes

Juste avant de commencer la réunion, les participants auront à se répartir autour d'une table de discussion. Gress et Carroll (1985) indiquent que l'aménagement de la salle et la table utilisée doivent faciliter la discussion et ne pas créer de barrière aux interactions. MacMillan (1988) suggère à l'enseignant de s'asseoir près du parent.

En effet, très souvent les parents rencontrent pour la toute première fois certaines personnes, alors qu'ils ont déjà eu plusieurs contacts avec l'enseignant.

La réunion se déroule en plusieurs étapes. Comme elle vise à dresser le plan d'intervention, il y sera donc question dans un ordre séquentiel de la situation de l'élève, de la sélection des buts et objectifs d'intervention, et de la planification des ressources et des moyens nécessaires. Dans une première partie, on décrit la situation de l'enfant. Nous insistons encore une fois sur l'importance de mettre en évidence les forces de l'élève, car il est extrêmement pénible pour un parent et pour un enfant de n'entendre que des remarques négatives. MacMillan (1988) rappelle que les parents sont les personnes qui ont la plus grande connaissance de leur enfant.

Lorsque l'analyse de la situation de l'élève est complétée, on détermine les besoins prioritaires et on procède à la définition des objectifs et des moyens d'intervention. À la toute fin de la réunion, il y a un résumé, et le plan est signé par les participants. Les parents et l'élève (s'il participe) devraient pouvoir disposer d'un exemplaire de ce plan.

L'animation de la réunion

L'animation de la réunion est une condition importante du succès de celle-ci : elle doit être systématique et permettre à chacun de s'exprimer.

Dans un ouvrage sur les plans de services, Boisvert (1990) souligne l'importance de la qualité de l'animation. Selon Boisvert, l'animateur aide au travail des participants au moyen de divers comportements destinés à clarifier, à diriger et à faciliter. Tour à tour, nous examinerons ces divers comportements.

Dans un but de « clarification », l'animateur s'assure que les participants comprennent toutes les informations. Il demande qu'on décrive des faits, qu'on évite autant que possible les jugements et il reformule les interventions au besoin. Par exemple, dire que Jacques est distrait n'indique pas comment se manifeste cette distraction : passe-t-il outre à diverses consignes, saute-t-il des problèmes lors des examens, oublie-t-il une partie des instructions lorsqu'il fait ses exercices, a-t-il durant la semaine oublié deux fois son cahier d'exercices, a-t-il omis de faire signer trois feuilles qui devaient l'être par ses parents ? Voilà des distractions dont l'importance varie et qui ne requièrent pas le même type d'intervention. L'animateur doit aussi voir à ce que le vocabulaire utilisé soit compris par tous. Il explique les termes trop spécialisés et s'assure qu'un jargon professionnel ou un usage d'abréviations ne viennent pas nuire à la compréhension des informations. « Vous savez que tous les DGA ont un test de Q.I. par le psy et une analyse exhaustive basée à la fois sur l'évaluation formative et sommative par l'ortho de l'école. » Voilà une phrase peu compréhensible pour un non-initié à notre système scolaire !

Les seconds comportements décrits par Boisvert (1990), ceux qui sont destinés à diriger les débats, sont centrés sur les procédures. Pour bien accomplir cette tâche, l'animateur doit être familier avec les composantes et la structure d'un plan d'intervention. L'animateur fixe des limites de temps, ramène si nécessaire les participants à l'objet de la discussion s'ils s'en écartent, et permet à tous de s'exprimer.

Finalement, les « comportements de facilitation » sont axés sur les relations socio-affectives qui s'établissent au cours de la réunion. Il peut s'agir à l'occasion de détendre l'atmosphère, de faire exprimer des sentiments, etc.

La qualité de l'animation est donc un point fort important dans l'élaboration du plan d'intervention.

4.5   *La participation des parents : importance, recherches sur la question et programmes divers*

Dans les pages précédentes, il a été question à plusieurs reprises de la participation des parents. Nous préciserons maintenant les motifs qui justifient cette participation et nous décrirons quelques études qui en traitent ainsi que divers programmes utilisés pour la favoriser.

4.5.1   *L'importance de la participation des parents*

Il est reconnu depuis de nombreuses années que la collaboration entre les parents et les enseignants est importante dans le processus de scolarisation et de socialisation de l'enfant (Becher McShane, 1984 ; Chapman et Heward, 1982). Cette collaboration comporte des avantages à la fois pour le parent et l'enseignant. Le parent y trouve du soutien, alors que l'enseignant peut mieux comprendre l'élève, partager les responsabilités éducatives et multiplier, par l'intermédiaire de la famille, les occasions d'apprentissage (Shea et Bauer, 1985). Divers auteurs signalent les bénéfices d'une telle collaboration. Ainsi, Schmidt et Schmidt (1979) notent des résultats supérieurs chez les enfants dont les parents participent à la vie de l'école. Des programmes mis en place auprès des parents se traduisent par une amélioration du rendement ou du comportement des élèves (Shuck, Ulsh et Platt, 1983 ; Vukelich, 1984 ; Otto, 1985 ; Walberg, Paschal et Weinstein, 1985). Il n'est donc pas étonnant que, dans les articles de loi traitant du plan d'intervention personnalisé, on mise sur la participation des parents.

Cette participation peut s'exercer sur divers plans : pour mieux connaître l'enfant, pour planifier des objectifs d'intervention et pour mettre le plan en application. Cette section du chapitre est consacrée à la participation parentale. D'abord, nous mentionnons quelques recherches sur le sujet dans le cadre du plan d'intervention personnalisé. Ensuite, nous décrirons divers programmes destinés à stimuler l'engagement des parents.

4.5.2 Des études sur la participation des parents

Plusieurs chercheurs se sont penchés sur la participation des parents face au plan d'intervention. Ainsi, Gilliam et Coleman (1981) évaluent qui, des participants, exerce une influence dans les réunions. Selon les résultats qu'ils ont obtenus, le psychologue est perçu comme la personne la plus influente dans le diagnostic, et l'enseignant de classe spéciale, comme celui qui a la plus grande emprise au niveau de la planification et de la mise en place du plan. Toujours selon ces auteurs, la direction de l'école est perçue comme ayant le plus de pouvoir sur le classement, et le superviseur (sorte de représentant), comme celui qui a le plus d'ascendant sur le *due process* (voir chapitre 1, note 1).

Lusthaus, Lusthaus et Gibbs (1981) indiquent que, dans ces réunions, les parents se perçoivent comme des émetteurs et des récepteurs d'informations. Malgré cette impression de jouer un rôle plutôt passif, ils semblent satisfaits. Cependant, certains parents aimeraient participer davantage aux décisions, surtout à celles concernant le choix des services médicaux ou les changements d'école.

Goldstein et Turnbull (1982) comparent trois groupes de 15 parents ayant reçu une préparation différente pour la réunion d'élaboration du plan d'intervention personnalisé. Le premier groupe reçoit avant la réunion un questionnaire concernant les buts du plan, le potentiel de leur enfant et l'élaboration du plan d'intervention. Les parents du deuxième groupe bénéficient de la présence d'un conseiller à chaque conférence. Enfin, un troisième groupe sert de groupe contrôle. Les chercheurs évaluent et comparent la quantité d'interventions entre les trois groupes de parents. Les parents des deux premiers groupes participent à la réunion de façon plus significative lors de la réunion que ceux du groupe contrôle. Cependant, les auteurs n'observent pas de différence pertinente quant au taux de satisfaction des parents des trois groupes : les parents se disent également satisfaits. Vacc *et al.* (1985) notent que les deux parents sont rarement présents tous les deux à la fois et que ce sont surtout les mères qui assistent aux réunions.

Plusieurs études sur la participation des parents sont centrées sur l'observation et la satisfaction des parents qui se présentent aux réunions ; toutefois, certains n'y vont pas. Afin de mieux cerner cette situation, Weber et Stoneman (1986) décrivent les caractéristiques des familles qui ne se présentent pas aux réunions. Ces auteurs observent entre autres qu'elles sont économiquement pauvres, peu scolarisées et monoparentales (le plus souvent sous la responsabilité de la mère). Toujours selon Weber et Stoneman, ces parents qui participent peu perçoivent les enseignants et les autres spécialistes comme les responsables de l'éducation de leurs enfants et se perçoivent comme exclus de ce rôle.

4.5.3 *Des mesures pour faciliter la participation des parents*

Des mesures à l'intention des parents

Divers programmes ont été mis sur pied afin de faciliter la participation des parents au plan d'intervention (Nye, Westling et Laten, 1986) ou encore au plan de services (Lapointe, 1990). Nye, Westling et Laten (1986) ont élaboré un programme axé sur les habiletés de communication, en apprenant aux parents, entre autres, à poser des questions plus efficaces. Des questions qui les renseigneront sur la situation vécue par leur enfant et qui permettront une participation plus grande dans les décisions. Ces auteurs suggèrent ainsi aux parents de se renseigner, avant la réunion, sur la situation de leur enfant et sur le déroulement de cette réunion. De plus, ils suggèrent toute une série de stratégies lors de la rencontre d'élaboration du plan d'intervention. Quelques stratégies inspirées par ces auteurs sont présentées dans le tableau 4.1.

Tableau 4.1
Quelques exemples de stratégies pour obtenir des informations

Avant la réunion

1) Demandez des informations sur la réunion elle-même et sur son fonctionnement : personnes qui seront présentes, fonctions et rôles de ces personnes, etc.

2) Demandez des informations sur les activités de l'enfant à l'école : progrès
   de l'élève, objectifs poursuivis actuellement, etc.

Pendant la réunion

1) Posez des questions d'éclaircissement :
   « Je connais bien mon enfant. J'ai toutefois de la difficulté à bien comprendre
   le vocabulaire que vous utilisez, en particulier vos abréviations. Que veut
   dire DGA ? Pourriez-vous m'expliquer ces termes ? »

2) Faites des interventions reliées à la compréhension du contenu :
   « Vous allez trop vite. J'aimerais être certain de bien comprendre, pourriez-
   vous ralentir s'il vous plaît ? »

3) Au besoin, posez des questions sur les services offerts :
   « Comment fonctionne le transport scolaire ? »

4) Posez des questions pour mieux comprendre la situation de l'enfant :
   « Vous me dites que Paul a été très agressif cette semaine, pourriez-vous
   me dire exactement ce qu'il a fait et quand cela s'est produit ? »

Divers guides (Gallaudet College, 1986 ; New York State Department, 1986) ont été rédigés pour faciliter la participation des parents.
En général, ces guides informent les parents de leurs droits et de ceux
de leur enfant, décrivent ce qu'est le plan d'intervention personnalisé
et la démarche dans laquelle il s'insère. Ces documents proposent
aussi toute une série de conseils aux parents. Ainsi, dans le document
du New York State Department, on indique aux parents que le succès
de leur participation est relié aux éléments suivants :

- *être bien au courant des programmes scolaires et des droits de
  son enfant ;*

- *s'estimer partenaire de l'école ;*

- *désirer devenir activement engagé et intéressé ;*

- *donner son appui aux programmes éducatifs ;*

- *poser des questions et exprimer ses inquiétudes quand des doutes surgissent ;*
- *parler avec son enfant de son école ;*
- *se tenir au courant des programmes d'enseignement et des progrès de son enfant* (p. 11).

Des mesures à l'intention des intervenants

Si les parents peuvent avoir besoin de développer certaines habiletés pour participer à l'élaboration du plan d'intervention (Morgan, 1982), les attitudes et les comportements des autres intervenants les influenceront aussi en ce sens. Bouchard (1987) met en évidence la nécessité de créer une véritable collaboration entre les spécialistes et les parents. Mais cela est parfois difficile, la participation des parents pouvant poser certains problèmes aux intervenants (Walker *in* Morgan, 1982) : le personnel craint de devoir s'engager dans des discussions compliquées et longues avant d'en arriver à un consensus ; il a parfois tendance à blâmer le milieu familial lorsqu'un enfant éprouve des difficultés de comportement ou d'apprentissage. Parfois aussi, le manque de connaissance des parents sur la véritable nature des services offerts les amène à se rallier à l'opinion des spécialistes à qui ils font confiance, mais sans vraiment connaître ce qui sera offert à leur enfant. Selon Morgan (1982), à ces éléments peut s'ajouter le manque de préparation du personnel pour l'intervention avec les parents. Ce manque de préparation peut se traduire par l'utilisation d'un jargon professionnel ou par des maladresses (pouvant être perçues comme un manque de délicatesse) lors de la description des problèmes de l'enfant.

Shevin (1983) souligne la nécessité pour les spécialistes d'en arriver à un langage commun, exempt de termes trop techniques, et de connaître les valeurs des parents. Dans ce processus, Lapointe (1990) souligne l'importance de la communication, de la relation de confiance et de l'écoute active. Somme toute, la participation des parents est tributaire de multiples facteurs où les attitudes des intervenants peuvent être déterminantes. Hudson et Graham (1978) ont conçu un questionnaire intéressant sur l'évaluation par les parents de leur participation et sur divers aspects entourant l'élaboration du plan d'intervention. Ce questionnaire permet au personnel scolaire de recevoir une rétro-information sur les perceptions qu'ont les parents à la suite de l'élaboration du plan d'intervention. Ce questionnaire a été traduit en langue française et est présenté à l'annexe 1.

4.6   *La participation de l'enfant*

La *Loi sur l'instruction publique* indique que l'enfant, si possible, doit participer à l'élaboration du plan d'intervention, parce que ce plan est d'abord et avant tout le sien. Sa participation facilite d'ailleurs la réalisation des objectifs d'apprentissage. Quelle serait l'utilité, par exemple, de déterminer toute une série d'objectifs sur le comportement d'un élève du secondaire qui s'absente et refuse de faire ses travaux, si celui-ci n'est ni intéressé à changer ses comportements ni motivé en ce sens ?

Winslow (1977, *in* Gillepsie et Turnbull, 1983) dégage divers critères qui doivent être pris en considération pour faire participer l'élève : son âge, le degré de sa déficience et sa capacité de participer à ce plan d'intervention. Gillepsie et Turnbull indiquent que l'intérêt de l'enfant est aussi un autre critère à prendre en considération. Ces auteurs font plusieurs suggestions aux parents et aux enseignants afin de préparer l'élève à la réunion du plan d'intervention. Dans l'encadré suivant, on présente ces suggestions.

Tableau 4.2
Suggestions de Gillepsie et Turnbull aux parents
pour préparer leur enfant à une réunion
sur le plan d'intervention

- Demandez à votre enfant s'il veut venir à la réunion. Expliquez-lui pourquoi cette réunion aura lieu et qui sera là.

- Informez votre enfant au moins une semaine à l'avance qu'il sera invité à participer à la réunion.

- Montrez à votre enfant le plan d'intervention de l'année dernière (s'il est disponible) et révisez avec lui ce qu'on y a inclus.

- Demandez, à l'avance, des exemplaires du rapport d'évaluation et un exemplaire des recommandations de l'enseignant pour le plan d'intervention. Prenez vos questions et vos commentaires en note. Révisez cette information avec votre enfant, et dites-lui ce que vous voulez dire à la réunion.

- Discutez avec votre enfant de divers points qui seront abordés au cours de la réunion, comme les buts, les objectifs, le lieu de scolarisation et les services demandés. Si vous et votre enfant différez d'opinion dans ce que vous considérez comme important, pointez ces différences le plus tôt possible avant la réunion. Parlez de vos points de vue ensemble et travaillez fort pour en arriver à des compromis acceptables pour l'un et l'autre. Rappelez-vous qu'une divergence profonde d'opinions entre vous deux lors de la réunion peut créer un malaise pour vous.

- Dites-vous que les idées de tous sont bienvenues à la réunion.

- Avertissez votre enfant que toutes ses suggestions ne seront peut-être pas suivies, mais que ses opinions sont néanmoins valables.

- Obtenez le plus d'information possible de votre enfant à propos de son programme éducatif. Il peut être utile de dresser une liste de questions précises et d'aborder ces questions avec lui.

- Aidez votre enfant à dresser une liste de trois choses qu'il aime à l'école, de trois choses qu'il voudrait changer et de trois choses qu'il voudrait apprendre dans le futur.

- Discutez de cette réunion à la maison avec les autres membres de la famille (il pourrait être utile de faire un jeu de rôle).

- Le jour de la réunion, révisez l'objectif de cette réunion, mentionnez les personnes qui y participeront et faites une liste des sujets dont vous avez discuté sur l'école.

- Assurez-vous que votre enfant apporte cette liste de sujets à la réunion.

- Aidez votre enfant à se sentir à l'aise pendant la réunion et encouragez-le à parler. Il peut être nécessaire de lui poser des questions sur les éléments qu'il a déjà inscrits sur sa liste.

- Après la réunion sur le plan d'intervention, dites à votre enfant que vous êtes fier de lui parce qu'il aide à prendre des décisions importantes pour son éducation.

Tiré de Gillepsie et Turnbull, 1983, p. 28-29 et reproduit avec la permission des auteurs et celle du Council for Exceptional Children.

Gillepsie et Turnbull (1983) présentent également plusieurs suggestions au personnel scolaire. Parmi celles-ci, notons l'usage d'un vocabulaire simple et l'importance de voir avec l'élève les liens entre le plan d'intervention personnalisé et son programme scolaire. D'autres stratégies peuvent aussi être utilisées. Par exemple, pour un élève ayant, malgré ses capacités, un très faible rendement, on peut discuter avec lui de ses résultats scolaires et de ses perceptions sur leurs conséquences. Ce retour peut être fait, par exemple, à l'aide du dernier bulletin. Par la suite, on peut examiner avec le jeune s'il souhaite ces conséquences et s'il désire trouver des moyens pour modifier cette situation. Là encore il ne faut pas souligner uniquement les difficultés de l'enfant mais aussi ses forces.

4.7 Le suivi et l'application du plan d'intervention personnalisé

Une fois le plan rédigé, une des conditions de succès réside dans son application. Dans la rédaction du plan, les intervenants se sont entendus sur des échéances. Il importe de vérifier régulièrement les progrès du jeune et d'ajuster si nécessaire les interventions. L'application du plan requiert une bonne coordination. Bouchard (1985) précise cette exigence et ses avantages :

> L'application du plan d'intervention requiert de la coordination car il faut tenir compte de la disponibilité des ressources et des horaires divers auxquels les intervenants sont soumis. Il est également important de vérifier la portée réelle des interventions planifiées. Il faut donc être en mesure de vérifier les progrès qui en découlent (p. 51).

L'évaluation périodique et continue à l'aide du plan d'intervention facilite les relations avec les parents. Selon le régime pédagogique du primaire et du secondaire (*Gazette officielle du Québec*, 1990), il est d'ailleurs nécessaire que des informations mensuelles soient communiquées aux parents d'élèves en difficulté : « Au moins une fois par mois, des renseignements sont fournis aux parents de l'élève pour lequel ces renseignements étaient prévus dans le plan d'intervention préparé pour lui » (p. 573).

Le plan d'intervention est un outil qui peut avoir plusieurs fonctions dans l'éducation d'un jeune en difficulté. Cependant, son application optimale requiert plusieurs conditions, dont la planification d'interventions concrètes et réalisables. Elle exige aussi la participation du personnel scolaire en collaboration avec celle des parents et de l'élève. Un tel processus requiert également une excellente coordination, et à cet égard, la direction joue un rôle de premier plan.

4.8 Le rôle de la direction de l'école

Que ce soit pour l'établissement du plan d'intervention, pour sa réalisation ou pour son suivi, l'article 47 de la *Loi sur l'instruction publique* met en évidence le rôle capital de la direction de l'école. Dans plusieurs écoles, c'est le directeur qui préside la réunion. Dickson et Moore (1980) soulignent plusieurs facettes de ce rôle. Entre autres, le directeur doit s'assurer des horaires, de la disponibilité du personnel pour les réunions, il doit aussi veiller à la mise en place de conditions facilitant la participation des parents. À l'occasion, il peut être appelé à préciser les rôles des divers intervenants qui travaillent auprès de l'élève. Il s'assure également que les parents reçoivent les informations nécessaires de la part du personnel scolaire. Selon Dougherty (1979), le directeur joue un rôle important auprès des parents, que ce soit pour les rassurer, les informer ou encore les encourager à maintenir des liens avec l'école.

Par ailleurs, O'Reilly et Sayler (1985) soulignent les obligations du directeur dans le processus d'élaboration et d'application des plans d'intervention personnalisés, que ce soit pour la vérification de la qualité des plans ou encore pour la mise en place des interventions. Ce rôle devient particulièrement crucial lorsqu'il y a insatisfaction des parents ou encore désaccord entre les parents et les intervenants sur les objectifs poursuivis ou les interventions faites pour l'enfant.

Le directeur de l'école joue aussi un rôle dans le respect des conditions éthiques qui doivent entourer l'élaboration du plan d'intervention. Le directeur veille à ce que les données sur l'élève demeurent confidentielles et à ce que les droits de l'enfant soient entièrement respectés. La mise en place de plans d'intervention dans une école peut donner l'occasion à la direction d'amorcer avec son personnel une réflexion sur ces questions tout en transmettant diverses informations relatives aux droits des personnes handicapées et à la protection des renseignements personnels dans les organismes publics. La *Loi sur l'accès aux documents des organismes publics et sur la protection des renseignements personnels* de même que la *Charte des droits et libertés de la personne* pourraient servir de base de discussion avec le personnel sur l'éthique lors de l'élaboration des plans d'intervention. La direction de l'école joue donc un rôle clé dans la mise en place des plans d'intervention à l'intérieur de son école. Ce rôle est important non seulement à cette étape cruciale qu'est l'élaboration du plan, mais également lors de la mise en place des ressources et du suivi des interventions.

4.9 Entrevue avec un intervenant

Afin de préciser davantage les conditions qui entourent la réalisation des plans d'intervention, nous avons rencontré un conseiller pédagogique, André Bourassa, qui nous a exposé ses perceptions du plan d'intervention personnalisé. Le tableau 4.3 présente le contenu de l'entrevue obtenue auprès de ce conseiller pédagogique.

Tableau 4.3
Entrevue avec un conseiller pédagogique

André Bourassa est conseiller pédagogique en adaptation scolaire à la Commission des écoles catholiques de Montréal. Il travaille plus particulièrement au niveau secondaire. Entre autres fonctions, il contribue à la formation des directeurs et des enseignants en vue de l'utilisation de plans d'intervention personnalisés.

Au secondaire, André Bourassa considère le plan d'intervention comme une forme de contrat pour aider l'élève, le rendre responsable de son cheminement scolaire. C'est avec l'élève, ses parents et les intervenants qu'à la suite de l'analyse de la situation actuelle de l'élève, on définit une situation souhaitée, on établit une série d'objectifs et on détermine les moyens pour les atteindre. Élément important pour André Bourassa, « l'enfant est le premier responsable de ses apprentissages ». Il précise : « Le plan d'intervention est fait d'abord et avant tout pour l'élève. Si l'élève n'est pas partie prenante de son plan, on passe à côté. Il ne saurait être question de dire à l'élève, sans le consulter : "Tiens voici les choses que tu as à travailler." Dans de telles circonstances, est-ce qu'un élève participe ? L'élève devrait prendre part à l'analyse de ses besoins, il devrait donner son opinion. L'élève devrait aussi contribuer aux choix des objectifs prioritaires et des moyens qui seront utilisés dans l'intervention. C'est en ce sens que je dis que le plan d'intervention est une forme de contrat. » Pour André Bourassa, un plan d'intervention où la collaboration de l'élève est absente, où l'enfant ne fait que subir les décisions des adultes, n'a que bien peu de probabilité de réussir. Il va sans dire que dans une telle perspective, l'enfant (à moins qu'il en soit vraiment incapable) devrait assister aux réunions qui le concernent. André Bourassa suggère même que les objectifs d'intervention soient rédigés en utilisant le « Je », par exemple : « Je me présenterai à l'heure à l'école. »

Les parents ont aussi un rôle à jouer dans ce processus. Malheureusement, toujours selon André Bourassa, il est parfois difficile d'obtenir leur collaboration au secondaire. Mais lorsque les parents coopèrent, on doit vraiment les faire participer et non pas leur demander simplement une présence passive où ils se limitent à écouter le personnel scolaire et à signer un formulaire. Les parents ne doivent pas être considérés uniquement comme les récepteurs des informations. Il va sans dire que les intervenants devraient utiliser un vocabulaire accessible et vraiment demander l'opinion du parent tout en la respectant.

Dans tout le processus d'élaboration du plan d'intervention, la direction de l'école a un rôle capital à jouer. Toujours selon André Bourassa, « le rôle du directeur d'école, c'est de voir à ce que les plans d'intervention se fassent dans son école ; c'est aussi d'en assumer la responsabilité sur le plan juridique. En autant que possible, le directeur assiste aux réunions. Mais dans une école où il y aurait, par exemple, 180 enfants identifiés en difficulté, il serait irréaliste de croire que le directeur assistera à toutes les réunions, rédigera et coordonnera tous les plans d'intervention. Le rôle du directeur consistera alors à prévoir les temps de réunion et les ressources nécessaires pour répondre aux besoins des élèves. Le directeur verra à nommer les enseignants, les adjoints ou les professionnels qui coordonneront personnellement les plans d'intervention. Il s'assurera que tous les plans nécessaires ont été faits. Le directeur sera aussi engagé de plus près dans les cas litigieux, par exemple lorsqu'il n'y a pas entente entre les parents et les intervenants. » La direction d'école a donc un rôle de leadership à assumer, en particulier dans l'étude du fonctionnement de l'élève. Elle doit insister sur les outils à utiliser, sur la préparation des réunions afin d'éviter que celles-ci ne dégénèrent en séances de défoulement d'où finalement bien peu de choses constructives ne ressortent.

Pour André Bourassa, il est également important que se dégagent des réunions des objectifs réalistes, applicables dans les classes. Selon lui, on ne peut, quand un élève a des difficultés sérieuses, travailler de front tous ses points faibles. Il faut alors se donner des priorités à partir de l'analyse des besoins de l'élève. Le plan doit être conçu pour permettre à l'élève de progresser. Il sera donc centré sur les priorités d'intervention, ce qui ne veut pas dire que d'autres points ne seront pas travaillés, car l'élève continuera à évoluer dans sa classe au même titre que ses pairs. Cependant, l'enseignant lui portera une attention particulière et verra à la réalisation de certains apprentissages précis. Dans ce processus, l'enseignant joue alors un rôle très significatif.

Somme toute, pour André Bourassa, la réussite d'un plan d'intervention dépend de multiples conditions dont la principale est que l'élève joue le premier rôle sur la scène de ses apprentissages.

RÉSUMÉ

Si, théoriquement, le plan d'intervention est un outil pour aider un élève en difficulté d'adaptation et d'apprentissage et faciliter son insertion sociale, sa mise en application requiert de nombreuses étapes. La qualité de l'évaluation sur laquelle repose la définition des objectifs d'apprentissage est de toute première importance. Il convient aussi de bâtir un plan qui soit concret et réalisable. Pour ce faire, le choix des objectifs doit être basé sur des priorités éducatives pour l'enfant. La réunion où le plan sera élaboré revêt une grande importance, particulièrement en ce qui a trait à la participation des parents. Cette participation peut être favorisée par la communication d'informations sur l'enfant, par des attitudes favorables des participants et par la qualité de l'animation. La participation de l'enfant est aussi appréciable puisqu'il est le premier concerné. Une fois le plan élaboré, il faut assurer un suivi et une bonne coordination des ressources. La direction d'école joue alors un rôle de premier plan.

MOTS CLÉS

✓ Objectifs prioritaires
✓ Réunion d'élaboration du plan d'intervention
✓ Participation des parents

✓ Qualité de l'évaluation
✓ Animation
✓ Participation de l'enfant

QUESTIONS

1. Quelles ont été les principales phases de la recherche sur les plans d'intervention ?

2. Quelles sont les conditions liées à la mise en place et au succès des plans d'intervention ?

3. Pourquoi est-il nécessaire de choisir des priorités d'intervention ?

4. Quelles qualités doivent présenter les réunions destinées à structurer les plans d'intervention ?

5. Pourquoi la participation des parents est-elle importante et quels sont les éléments qui la favorisent ?

6. Imaginez que vous êtes parent d'un enfant de 6 ans et que la direction de l'école vous téléphone pour vous annoncer, au deuxième bulletin de l'année, que votre enfant présente des difficultés d'apprentissage en français et en mathématiques. À la maternelle, tout semblait s'être bien déroulé. Quelle serait alors votre réaction ? Quelles informations aimeriez-vous obtenir immédiatement ?

LECTURES SUGGÉRÉES

Boisvert, D. (1990). Une réunion préparée et animée, *in* Boisvert, D. (1990) *Le plan de services individualisé*. Montréal : Éditions Agence d'Arc inc.

Lapointe, A. (1990). Être parents et participer, *in* Boisvert, D. (1990) *Le plan de services individualisé*. Montréal : Éditions Agence d'Arc inc.

Smith, S.W. (1990). Individualized Education Programs (IEP) in special education – From intent to acquiescence. *Exceptional Children, 57,* 6-14.

Références

Alter, M. et Goldstein, M.T. (1986). The « 6-S » paradigm : a tool for IEP implementation. *Teaching Exceptional Children*, *18*, 135-138.

Becher McShane, R. (1984). *Parent Involvement : A Review of Research and Principles of Successful Practice*. Washington : National Institute of Education. ERIC ED 247 032.

Boisvert, D. (1990). *Le plan de services individualisé*. Montréal : Éditions Agence d'Arc inc.

Bouchard, G.E. (1985). *Un enfant, un besoin, un service*. Montréal : Conseil scolaire de l'île de Montréal.

Bouchard, J.M. (1987). Les parents et les professionnels : une relation qui se construit. *Attitudes*, mai.

Chapman, J.E. et Heward, W.L. (1982). Improving parent-teacher communication through telephone messages. *Exceptional Children*, *49*, 79-82.

Comité patronal de négociation des commissions scolaires pour catholiques (CPNCC) et les syndicats d'enseignants et d'enseignantes représentés par la Centrale de l'enseignement du Québec (CEQ) (1990). *Entente intervenue, 1989-1991*. Québec : Comité patronal de négociation des commissions scolaires pour catholiques (CPNCC).

Commission royale d'enquête sur l'enseignement dans la province de Québec (1965). *Rapport Parent*. Québec : Gouvernement du Québec, 3e édition.

Côté, R., Pilon, W., Dufour, C. et Tremblay, M. (1989). *Guide d'élaboration des plans de services et d'interventions*. Québec : Groupe de recherche et d'étude en déficience du développement inc.

Deno, S.L. et Mirkin, P.K. (1980). Data based IEP development an approach to substantive compliance. *Teaching Exceptional Children*, *12*, 92-97.

Deno, S.L., Mirkin, P.K. et Wesson, C. (1984). How to write effective data-based IEPs. *Teaching Exceptional Children*, *16*, 99-104.

Dickson, R.L. et Moore, D.T. (1980). *IEP Development and Implementation : The Role of the Elementary Principal*. ERIC ED 206 106.

Dougherty, J.W. (1979). An approach implementing IEPs-implications for the principal. *NASSP Bulletin*, *63*, 49-54.

Dudley-Marling, C. (1985). Perceptions of the usefulness of the IEP by teachers of learning disabled and emotionally disturbed children. *Psychology in the Schools*, *22*, 65-67.

Epps, S. (1983). *Designing, Implementing and Monitoring Behavioral Interventions with the Severely and Profoundly Handicapped*. Des Moines : Iowa State Dept. of Public Instruction. ERIC ED 240 772.

Fiedler, J.F. et Knight, R.R. (1986). Congruence between assessed needs and IEP goals of identified behaviorally disabled students. *Behavioral Disorders*, *12*, 22-27.

Fontaine, F. (1989). *Les objectifs d'apprentissage*. Montréal : Service pédagogique, Université de Montréal, 3e édition revue et corrigée.

Fuchs, L.S. et Fuchs, D. (1986). Effects of systematic formative evaluation : a meta-analysis. *Exceptional Children*, *53*, 199-208.

Gallaudet College (1986). *A Parents' Guide to the Individualized Education Program (IEP)*. Washington : Gallaudet College. ERIC ED 298 747.

Gazette officielle du Québec (1990). *Régime pédagogique de l'enseignement secondaire*. Québec : Éditeur officiel du Québec.

Gazette officielle du Québec (1990). *Régime pédagogique de l'éducation préscolaire et de l'enseignement primaire*, Québec : Éditeur officiel du Québec.

Gazette officielle du Québec (1983). *Partie 2 Lois et règlements*. N° 34. Québec : Éditeur officiel du Québec.

Geraldi, R.J., Grohe, B., Benedict, G.C. et Coolidge, P.G. (1984). I.E.P.-More paperwork and wasted time. *Contemporary Education*, *56*, 39-42.

Gillepsie, E.B. et Turnbull, A.P. (1983). Involving students in the planning process. *Teaching Exceptional Children*, *16*, 27-29.

Gilliam, J.E. et Coleman, M.C. (1981). Who influences IEP committee decisions ? *Exceptional Children*, *47*, 642-644.

Goldstein, S., Strickland, B., Turnbull, A.P. et Curry, L. (1980). An observational analysis of the IEP conference. *Exceptional Children*, *46*, 278-286.

Goldstein, S. et Turnbull, A.P. (1982). Strategies to increase parent participation in IEP conferences. *Exceptional Children*, *48*, 360-361.

Good, T.L. et Brophy, J.E. (1990). *Educational Psychology*. New York : Longman, 4e édition.

Gouvernement américain (1978). *United States Code Annotated*. St. Paul : West Publishing Co.

Gouvernement du Québec (1990). *Loi sur l'instruction publique*. Québec : Éditeur officiel du Québec.

Gress, J.R. et Carroll, M.E. (1985). Parent-professional partnership-and the IEP. *Academic Therapy*, *20*, 443-449.

Hartwick, P.J. et Blattenberger, M.P. (1986). *Taking the I.E.P. Home : a Model for Improved Collaboration Between Residential and Educational Programs*. Présentation faite à Denver : Annual Meeting of the American Association on Mental Deficiency. ERIC ED 295 390.

Hudson, F.G. et Graham, S. (1978). An approach operationalizing the I.E.P. *Learning Disabilities Quarterly, 1*, 13-32.

Indiana State Dept. of Education (1987). *Training Modules for School Psychologists.* Indianapolis : Indiana State Dept. of Education. ERIC ED 303 956.

Jenkins, J.R. et Pany, D. (1978). Standardized achievement tests : how useful for special education ? *Exceptional Children, 44*, 448-453.

Kibler, R., Cagala, J., Donald, J., Watson, K.W., Barker, L., Miles, D.T. (1981). *Objectives for Instruction Evaluation.* Toronto : Allyn and Bacon, Inc.

Kurtzig, J. (1986). IEPs : Only half of the picture. *Journal of Learning Disabilities,19*, 447.

Landry, A. (1990). Le plan d'intervention en milieu scolaire. *Attitudes, 6*, 7-11.

Lapointe, A. (1990). Être parents et participer, *in* Boisvert, D. *Le plan de services individualisé.* Montréal : Éditions Agence d'Arc inc.

Lusthaus, C.W., Lusthaus, E.W. et Gibbs, H. (1981). Parents' role in the decision process. *Exceptional Children, 48*, 256-257.

MacMillan, C. (1988). Suggestions to classroom teachers about designing the I.E.P. *Exceptional Parent, 18*, 90-92.

Madden, N.A. et Slavin, R.E. (1983). Mainstreaming students with mild handicaps : academic and social outcomes. *Review of Educational Research, 53*, 519-569

Mager, R.F. (1977). *Comment définir des objectifs pédagogiques.* Paris : Bordas.

Magerotte, G. (1984). *Manuel d'éducation comportementale clinique.* Bruxelles : Pierre Mardaga, éditeur.

Ministère de l'Éducation du Québec (1976). *L'éducation de l'enfant en difficulté d'adaptation et d'apprentissage au Québec.* Rapport du comité provincial de l'enfance inadaptée (COPEX). Québec : Service général des communications du ministère de l'Éducation.

Ministère de l'Éducation du Québec (1979). *L'école québécoise. Énoncé de politique et plan d'action.* Québec : Ministère de l'Éducation.

Ministère de l'Éducation du Québec (1982). *L'école québécoise : une école communautaire et responsable.* Québec : Ministère de l'Éducation.

Ministère de l'Éducation (1982). *Formule d'aide à l'élève qui rencontre des difficultés. Bilan fonctionnel et plan d'action.* Québec : Gouvernement du Québec, ministère de l'Éducation.

Ministère de l'Éducation (1984). *Formule d'aide à l'élève qui rencontre des difficultés au secondaire. Bilan fonctionnel et plan d'action.* Québec : Gouvernement du Québec, ministère de l'Éducation.

Morgan, D.P. (1982). Parent participation in the IEP process : does it enhance appropriate education. *Exceptional Education Quarterly, 3*, 33-40.

New York State Education Dept. (1986). *Manuel d'éducation spéciale à l'usage des parents : le droit de votre enfant dans l'État de New York*. Albany : New York State Education Dept. ERIC ED 275 106.

Nye, J., Westling, K. et Laten, S. (1986). Communication skills for parents. *The Exceptional Parent, 16*, 30-36.

Office des personnes handicapées du Québec (1984). *À part... égale*. Québec : Les Publications du Québec.

Office des personnes handicapées du Québec (1989). *Le plan de services de la personne*. Québec : Office des personnes handicapées du Québec.

O'Reilly, R.C. et Sayler, M.R. (1985). *Handicapped Children in Schools : Administrators and the Courts*. Starkville : Annual Meeting of the National Conference of Professors of Educational Administration. ERIC ED 264 639.

Otto, W. (1985). Homework : a meta-analysis. *Journal of Reading, 28*, 764-766.

Polloway, E.A. (1984). The integration of mildly retarded students in the schools : a historical review. *Remedial and Special Education, 5*, 18-28.

Schenck, S. et Levy, W.K. (1979). *IEP's : The State of the Art – 1978*. Washington : Bureau of Education for the Handicapped. ERIC ED 175 201.

Schenck, S.J. (1980). The diagnostic/instructional link in individualized education programs. *Journal of Special Education, 14*, 337-345.

Schmidt, M. et Schmidt, D.A. (1979). Parent in the classroom. *Comment in Education, 9*, 15-20.

Schwartz Green, L. (1988). The parent-teacher partnership. *Academic Therapy, 24*, 89-94.

Shea, T.M. et Bauer, A.M. (1985). *Parents and Teachers of Exceptional Children*. Boston : Allyn & Bacon, Inc.

Shevin, M. (1983). Meaningful parental involvement in long-range educational planning for disabled children. *Education and Training of the Mentally Retarded, 18*, 17-21.

Shuck, A., Ulsh, F. et Platt, J.S. (1983). Parents encourage pupils (PEP) ; an innercity parent involvement reading project. *The Reading Teacher, 36*, 524-528.

Slavin, R.E. (1988). *Educational Psychology. Theory into Practice*. Englewood Cliffs : Prentice Hall, 2ᵉ édition.

Smith, S.W. (1980). Comparison on individualized education programs (IEPs) of students with behavioral disorders and learning disabilities. *Journal of Special Education, 24*, 85-100.

Smith, S.W. (1990). Individualized education programs (IEPs) in special education – From intent to acquiescence. *Exceptional Children, 57*, 6-14.

Vacc, N.A., Vallecorsa, A.L., Parker, A., Bonner, S., Lester, S., Richardson, S. et Yates, C. (1985). Parents' and educators' participation in IEP conferences. *Education and Treatment of Children, 8*, 153-162.

Vaughn, S., Bos, C.S., Harrell, J.E. et Lasky, B.A. (1988). Parent participation in the initial placement/IEP conference ten years after mandated involvement. *Journal of Learning Disabilities*, *21*, 82-89.

Vukelich, C. (1984). Parents' role in the reading process : a review of practical suggestions and ways to communicate with parents. *The Reading Teacher*, *37*, 472-477.

Walberg, H.J., Paschal, R.A. et Weinstein, T. (1985). Homework's powerful effects on learning. *Educational Leadership*, *42*, 76-79.

Wang, M.C. et Baker, E.T. (1985). Mainstreaming programs : design features and effects. *The Journal of Special Education*, *19*, 503-521.

Weber, J.L. et Stoneman, Z. (1986). Parental non participation in program planning for mentally retarded children an empirical investigation. *Applied Research in Mental Retardation*, *7*, 359-369.

Weisenfeld, R.B. (1986). The IEPs of down syndrome children : a content analysis. *Education and Training of the Mentally Retarded*, *21*, 211-219.

Wolfensberger, W. (1972). *Normalization : The Principles of Normalization in Human Services*. Toronto : National Institute of Mental Retardation.

Index des noms cités

Questionnaire aux parents sur leurs perceptions en regard de la réunion sur le plan d'intervention personnalisé[1]

Le but de ce questionnaire est d'obtenir de l'information pour améliorer nos communications entre l'école et les parents. Récemment, vous participiez à une réunion sur le plan personnalisé de votre enfant. Vous basant sur vos impressions face à cette réunion, pourriez-vous s'il vous plaît répondre à chacune des questions en cochant *oui*, *non* ou *partiellement*. Vous pouvez si vous le désirez ajouter des commentaires à côté de votre réponse.

1. **Les aspects administratifs**

    A. Aviez-vous été informé des difficultés de votre enfant avant cette réunion ?
        ☐ oui
        ☐ partiellement
        ☐ non

---

1. Traduit de Hudson et Graham, 1978, p. 26-27 et reproduit avec la permission du Council for Learning Disabilities.

B. A-t-on demandé que les deux parents soient présents à cette réunion ?
    ☐ oui
    ☐ partiellement
    ☐ non
    ☐ ne s'applique pas

C. Est-ce qu'on vous a averti assez tôt pour que vous n'ayez pas de difficulté à vous y rendre ?
    ☐ oui
    ☐ partiellement
    ☐ non

D. Le moment et le lieu de la réunion vous convenaient-ils ?
    ☐ oui
    ☐ partiellement
    ☐ non

E. Est-ce qu'on vous a dit clairement qui serait présent à la réunion ?
    ☐ oui
    ☐ partiellement
    ☐ non

F. Étiez-vous au courant du sujet de discussion précis ?
    ☐ oui
    ☐ partiellement
    ☐ non

G. Vous a-t-on dit que si vous désiriez inviter d'autres spécialistes (par exemple le médecin qui suit l'enfant), vous pouviez le faire ?
    ☐ oui
    ☐ partiellement
    ☐ non

H. Vous a-t-on informé de vos droits dans les décisions à prendre ?
    ☐ oui
    ☐ partiellement
    ☐ non

I. Vous a-t-on remis une copie du plan d'intervention personnalisé ?

☐ oui

☐ partiellement

☐ non

2. **Les aspects professionnels**

A. Les personnes présentes vous ont-elles semblé bien au courant du comportement social et émotif de votre enfant ?

☐ oui

☐ partiellement

☐ non

B. Les personnes présentes vous ont-elles semblé bien au courant du rendement scolaire de votre enfant ?

☐ oui

☐ partiellement

☐ non

C. Est-ce qu'on a discuté d'une variété de services à offrir à votre
enfant ?

☐ oui

☐ partiellement

☐ non

D. Est-ce que votre enfant semble avoir été évalué sous divers
aspects ?

☐ oui

☐ partiellement

☐ non

E. Est-ce que l'évaluation semble avoir été faite par plusieurs
personnes ?

☐ oui

☐ partiellement

☐ non

F. Avez-vous l'impression que les instruments utilisés auraient pu être discriminatoires d'un point de vue culturel ou racial ?

☐ oui

☐ partiellement

☐ non

G. Si l'on a proposé des mesures de services à l'extérieur de la classe ordinaire, ces mesures vous ont-elles paru justifiées ?

☐ oui

☐ partiellement

☐ non

3. **Les aspects liés à votre participation comme parent**

A. Est-ce que dans l'ensemble vous avez été à l'aise dans cette réunion ?

☐ oui

☐ partiellement

☐ non

B. Est-ce qu'on vous a suffisamment demandé votre opinion ?

☐ oui

☐ partiellement

☐ non

C. Est-ce que vous vous êtes senti à l'aise de donner des suggestions concernant les besoins de votre enfant ?

☐ oui

☐ partiellement

☐ non

D. Le personnel a-t-il paru intéressé à ce que vous disiez ?

☐ oui

☐ partiellement

☐ non

E. Aviez-vous l'impression que le personnel considérait ce que vous disiez comme important ?

☐ oui

☐ partiellement

☐ non

F. Avez-vous eu assez de temps pour communiquer ce que vous pensiez important ?
☐ oui
☐ partiellement
☐ non

G. Comprenez-vous le plan d'intervention conçu pour votre enfant ?
☐ oui
☐ partiellement
☐ non

H. Croyez-vous que votre enfant aurait dû participer à cette réunion ?
☐ oui
☐ partiellement
☐ non

4. Votre satisfaction générale

A. Croyez-vous que les recommandations faites sont dans le meilleur intérêt de votre enfant ?
☐ oui
☐ partiellement
☐ non

B. Êtes-vous satisfait des décisions prises ?
☐ oui
☐ partiellement
☐ non

C. Pensez-vous que votre enfant aurait besoin de services autres que ceux recommandés lors de la réunion ?
☐ oui
☐ partiellement
☐ non

D.   Vous sentez-vous à l'aise de poser des questions sur l'évaluation ou l'intervention aux personnes suivantes ? (Cochez si cela s'applique seulement.)

   a) À l'enseignant titulaire de votre enfant ?
   ☐ oui
   ☐ partiellement
   ☐ non

   b) À l'orthopédagogue
   ☐ oui
   ☐ partiellement
   ☐ non

   c) À la direction de l'école
   ☐ oui
   ☐ partiellement
   ☐ non

   d) Au psychologue
   ☐ oui
   ☐ partiellement
   ☐ non

   e) Autre : _____
   ☐ oui
   ☐ partiellement
   ☐ non

E.   À la suite de cette réunion, percevez-vous de la même façon la situation de votre enfant ?

_____

_____

_____

Commentaires et remarques :

_____

_____

_____

ANNEXE 2

Formulaires de plan d'intervention personnalisé

Plan d'intervention personnalisé

(Informations confidentielles)

Nom de l'élève: _____

Date de naissance: _____

Classe: _____ École: _____ Code permanent: _____

Date de la référence: _____ Date de la réunion du plan d'intervention: _____

Personnes présentes:

Nom	Fonction	Nom	Fonction

Nom du coordonnateur du plan d'intervention: _____

SYNTHÈSE DE LA SITUATION DE L'ÉLÈVE

Secteurs de référence: ☐ Lecture ☐ Écriture ☐ Français oral

☐ Mathématiques ☐ Comportement social ou développement affectif

☐ Autres (précisez): _____

Motifs de référence:

Évaluations réalisées (résumé)

Résumé des besoins, des forces et des faiblesses:

© gaëtan morin éditeur ltée, 1991

LES BUTS DU PLAN D'INTERVENTION

1-

2-

3-

4-

LE PLAN D'INTERVENTION

LES OBJECTIFS D'INTERVENTION

Les comportements à réaliser à la suite des apprentissages	Évaluation (s'il y a lieu, critères et conditions de réussite)	Moyens, stratégies, ressources	Intervenants	Échéances	Résultats obtenus, commentaires

© gaëtan morin éditeur ltée, 1991

Recommandations particulières:

Regroupement fréquenté (classe ordinaire, classe-ressource, etc.) et pourcentage du temps dans une classe ordinaire:

MISE EN APPLICATION

Période de mise en application du plan: de à

Date prévue pour l'évaluation du plan:

Recommandations à la suite de l'évaluation du plan:

Objectifs à poursuivre:

Nouveaux objectifs à déterminer:

Fin du plan:

SIGNATURES

Parents

Élève (si possible)

Direction de l'école

Enseignant

Autres participants

Plan d'intervention personnalisé

(Informations confidentielles)

Nom de l'élève: _____ Date de naissance: _____

Classe: _____ École: _____ Code permanent: _____

Date de la référence: _____ Date de la réunion du plan d'intervention: _____

Personnes présentes:

Nom	Fonction	Nom	Fonction

Nom du coordonnateur du plan d'intervention: _____

SYNTHÈSE DE LA SITUATION DE L'ÉLÈVE

Évaluations réalisées (résumé)

Résumé des besoins, des forces et des faiblesses:

Secteurs de référence: ☐ Lecture ☐ Écriture ☐ Français oral

☐ Mathématiques ☐ Comportement social ou développement affectif

☐ Autres (précisez): _____

Motifs de référence:

LES BUTS DU PLAN D'INTERVENTION

1-

2-

3-

4-

LE PLAN D'INTERVENTION

LES OBJECTIFS D'INTERVENTION

Les comportements à réaliser à la suite des apprentissages	Évaluation (s'il y a lieu, critères et conditions de réussite)	Moyens, stratégies, ressources	Intervenants	Échéances	Résultats obtenus, commentaires

Recommandations particulières:

Regroupement fréquenté (classe ordinaire, classe-ressource, etc.) et pourcentage du temps dans une classe ordinaire:

MISE EN APPLICATION

Période de mise en application du plan: de   à

Date prévue pour l'évaluation du plan:

Recommandations à la suite de l'évaluation du plan:

Objectifs à poursuivre:

Nouveaux objectifs à déterminer:

Fin du plan:

SIGNATURES

Parents _____

Élève (si possible) _____

Direction de l'école _____

Enseignant _____

Autres participants _____

_____

_____

_____

Plan d'intervention personnalisé

(Informations confidentielles)

Nom de l'élève: _____ Date de naissance: _____

Classe: _____ École: _____ Code permanent: _____

Date de la référence: _____ Date de la réunion du plan d'intervention: _____

Personnes présentes:

Nom	Fonction	Nom	Fonction

Nom du coordonnateur du plan d'intervention: _____

SYNTHÈSE DE LA SITUATION DE L'ÉLÈVE

Secteurs de référence: ☐ Lecture ☐ Écriture ☐ Français oral

☐ Mathématiques ☐ Comportement social ou développement affectif

☐ Autres (précisez): _____

Motifs de référence:

Évaluations réalisées (résumé)

Résumé des besoins, des forces et des faiblesses:

LES BUTS DU PLAN D'INTERVENTION

1-

2-

3-

4-

LE PLAN D'INTERVENTION

LES OBJECTIFS D'INTERVENTION		Moyens, stratégies, ressources	Intervenants	Échéances	Résultats obtenus, commentaires
Les comportements à réaliser à la suite des apprentissages	Évaluation (s'il y a lieu, critères et conditions de réussite)				

Recommandations particulières:

Regroupement fréquenté (classe ordinaire, classe-ressource, etc.) et pourcentage du temps dans une classe ordinaire:

MISE EN APPLICATION

Période de mise en application du plan: de   à

Date prévue pour l'évaluation du plan:

Recommandations à la suite de l'évaluation du plan:

Objectifs à poursuivre:

Nouveaux objectifs à déterminer:

Fin du plan:

SIGNATURES

Parents _____

Élève (si possible) _____

Direction de l'école _____

Enseignant _____

Autres participants _____
_____
_____

© gaëtan morin éditeur ltée, 1991